だいわ文庫

10代にしておきたい 17のこと

本田 健

JN282634

大和書房

はじめに

10代という「夢の時代」

「10代にしておきたい17のこと」――この本を前にして、あなたはいま、何を考えているでしょうか。

「お説教《せっきょう》くさいことを言われるんじゃないか」

「難《むずか》しいことを言われても困るな」

「書いてあることは、なんでもいいから試《ため》してみよう」

それぞれに想いはさまざまでしょう。

僕はこの本の前に、『20代にしておきたい17のこと』『30代にしておきたい17のこと』(大和書房刊)というタイトルの本を書きました。

長い人生では、そのときにしかできないことがあります。あとから振り返ると、「あのときに、ああしていたらよかったのに」と思うことがあります。

20代、30代に向けた二冊は、僕の経験から知ったこと、考えたことをまとめました。発売から数ヵ月もたたないうちに30万部近く売れていることから、多くの方々の心に届く本になったのではないかと思います。

そして、いま「10代にしておきたい17のこと」をテーマにお話ししていくわけですが、前二作のときもそうであったように、僕はこの本を、人生の先輩として書いていこうとは考えていません。

映画を先に試写《ししゃ》会で観てきた友達から、その映画のストーリーをかいつまんで聞くように読んでもらえるとうれしいです。

「10代をどう生きるべきか」ではなく、「こうやったら、もっと楽しかったのに」と僕自身が思ったことを、そのままあなたにお伝えします。ここは違うなと思うところは、さらっと読み流してもらって、全然かまいません。

10代は、あらゆる可能性に満《み》ちている時代です。

あなたには、何にでもなれる可能性があります。

言い換えれば、夢の扉があなたの前にいくつも用意されているような状態です。ただ、そのドアを開けるかどうかは、あなた次第です。

あなたは自分の人生を、思いどおりにデザインすることができるのです。

しかし、10代のときには、10代特有《とくゆう》の問題や苦しさがあり、そんな夢の時代を生きているという感覚は、ほとんどないかもしれません。

僕の10代も、暗く苦しいものでした。学校ではたくさん笑った記憶《きおく》がありますが、本当は毎日が息をするのも苦しかったのを覚えています。

僕の場合、本気で人生を変えようと思ったのは17歳のときです。そこから、人との素晴らしい出会いを求めはじめました。そして、19歳で初めて海外に一人で行ってから人生が楽しくなりました。自分がそれまでまったく知らなかった世界があるということに初めて気づいたからです。

その後、いくつもの夢を実現し、かつては想像すらできなかった素晴らしい体験をしてきました。同時に、たくさん失敗もしてきました。

恋愛で失敗し、ビジネスにつまづき、どうやって生きたらいいか、わからなくなった時期もありましたが、いまではとても幸せな生活を送っています。

そんな僕の体験をお話しすることで、いま10代のみなさんに参考になることがあるかもしれません。僕も、この本を書きながら、10代の頃の自分はどんな生き方をしていたのかを振り返ることができました。みなさんのおかげで、すっかり忘れていた楽しい出来事をたくさん思い出しました。本当にありがとう。おかげで自分の10代が、そんなに悪いものではなかったのだと思えました。

また、この本を作るにあたり、何百人という人に助けていただきました。現在20代以上の方々に呼びかけたところ、多くの方が「私の10代にしておきたかった17のこと」を書いて送ってくれたのです。そのベスト17を巻末《かんまつ》に載《の》せました。あわせて参考にしてください。

人生では、あなたが望むかぎり「なんでも実現可能」です。

そのことを、この本で確かめてください。

そして、最高の人生を生きてください。

●10代にしておきたい17のこと●目次

3 世間の常識と親の言うことを一度は疑ってみる 43

4 幸せで素敵な大人に出会う 55

15 お金とビジネスについて学ぶ 163

16 運命について考える 175

17

夢を生きる

1

人生に正解はないと知る

1

100人いたら100通りの生き方がある

10代のあなたは、「人生とはこう生きるべき」という正解があるのだと、どこかで感じているかもしれません。

けれど、人生には1００人いれば1００通りの生き方があって、どれが正解ということはありません。あなたの家庭には、「医者になるべきだ」とか、「いいところに就職するべきだ」「公務員になるべきだ」などという不文律《ふぶんりつ》があって、それに抵抗している人もいるかもしれません。

しかし、あなたもなんとなく気づいているように、世の中の全員がそういう考え方をしているわけではありません。たまたま、あなたの家族は、ある一定の人生観を持っているだけで、必ずしもそれが正しいとはかぎりません。

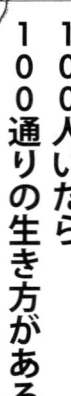

お金に恵まれた人生、お金に縁《えん》のない人生、好きなことをする人生、嫌いなことをやる人生、言われたとおりのことをやる人生、社会に役立つ人生、社会のマイナスになる人生など、さまざまな生き方があります。

どれがいいか悪いかということはありません。「どれもあり」なのです。

大学に行くこともできるし、行かないという選択もあります。海外に住むかどうか、結婚するかどうか、子どもを持つかどうか、家を買うかどうか……あなたの前には、さまざまな人生の可能性が用意されていて、そのうちのどれをどう選ぶかは、あなたが決めればいいのです。

あなたの両親、親戚《しんせき》の多くは大学に行くという選択をしたかもしれません。

しかし、あなたも大学に行かなければいけないというわけではありません。

あなたは、これから、どんな人生を生きたいのでしょうか？

あなたには１００通り、いや、それ以上の生き方のメニューが用意されています。そのどれを選ぶのもあなたの自由です。

1

パラレルワールド ——あなたはどこの世界で生きたいか

社会の構造を見ていくと、面白いことがわかります。

たとえば、この世の中は、たくさんの小さなグループで構成されています。

あなたはいま、おそらく「学校」と「家庭」の二つのグループに属《ぞく》していると思いますが、大人になっても、関わっているのは「会社」というグループと「家庭」というグループの二つだけ、という人は結構います。

そして、交友範囲も思ったより狭くて、日常的にごはんを食べたりするぐらい親しい人は、平均的な人で10人以下だという統計《とうけい》もあります。

あなたが社会人になっても、よほど意識して行動しなければ、人間関係はそんなに広がるものではないのです。

深くつきあう人たちはせいぜい10人程度。20人の友人がいたとしても、自分の食べ物の好みや人生観などを知ってくれている人というのは、多くても、それくらいの数なのです。だから、人生で深くつきあう10人が誰なのかということは、とても大事になってきます。

その人たちは、あなたとほぼ同じ考え方、同じ生き方をしているはずです。

ファミリーレストランや居酒屋に行ってみるとわかります。

レストランのテーブルや居酒屋の個室で一緒に食事している人たちは、同じような背景を持った人たちです。

サラリーマンで愚痴《ぐち》を言うグループ、コンパをやっている大学生、どこかの会社の打ち上げ、同窓会……みんな、共通項《こう》を持ってつきあっています。

たとえば年収６００万円のサラリーマンの集まりに、いきなり年収3億円の人が紛《まぎ》れ込んだりすることはありません。女子高生のグループに50歳のおじさんが入って和気藹々《わきあいあい》としているということもありません。

逆にいえば、自分と違うグループには属せないのです。それが人生のしくみです。そして、当たり前ですが、どこに属するのかで人生は全然違います。

職業でいえば、会社員というグループもあるし、起業家というグループもある。教育者というグループもあるし、公務員というグループもある。同じ公務員でも、警察と小学校では、また職場の空気が違います。自分が属するグループによって、ノリも違うし、生き方もまったく違ってくるのです。

たとえば、広告関連や不動産業界では、派手《はで》に交際費を使っても、仕事が受注《じゅちゅう》できるならいいという文化があるかもしれません。でも、別の業界では、接待《せったい》はよくないとなったりします。

人は、自分が属するグループに強く影響されるので、自分が将来どこに属したいのかをよく考えなければなりません。

あなたの居場所は、あなたが考えて、慎重《しんちょう》に決めましょう。なぜなら、そこが、あなたが今後生きていく世界だからです。

1 人によって、人生の正解は全然違う

僕がこれまでに出会ってきた人たちを思い返すと、実にさまざまな人たちがいました。

特に20代は、いろんな出会いを求めましたが、彼らの職業もさまざまです。思いつくままに挙げると、大学教授、アーティスト、スポーツ選手、実業家、俳優、作家、投資家、設計士、医師、政治家、宗教家、カウンセラー、霊能者、発明家、警察官など、多岐《たき》にわたっています。

社会的に尊敬《そんけい》されている人、お金持ち、有名人にも何百人と会いました。有名な詐欺《さぎ》師にパーティーで会ったこともあるし、殺人を犯《おか》して10年以上服役《ふくえき》している人にも、刑務所で面会したことがあります。

世界的富豪《ふごう》から借金王まで、経済的にもさまざまな状態な人たちと会いました。自給自足《じきゅうじそく》暮らしのヒッピーの人とも、親しくつきあっています。

彼らを見て感じるのは、人によって、「人生の正解」が違うということです。

一族に大学教授がたくさんいる家族では、「学校でいい成績を取ること」が正解になります。牧師の家では、人前でハキハキと話せることと人を許せることが正解になるかもしれません。格闘家《かくとうか》やスポーツ選手の家では、からだを鍛《きた》えることが大切だと教えられるかもしれません。

言ってみれば、その家によって、明文化《めいぶんか》されていない憲法のようなものがあって、それに従っている子どもは受け入れられ、かわいがられます。

しかし、不幸なことに、その一族が望むのとは、まったく違った子どもが生まれてくることがあります。

やたらと理屈《りくつ》をならべて、論争するのが好きな子どもがいたとしましょう。

牧師の家や音楽家の家では、そういうノリは歓迎《かんげい》されません。

「おまえは、理屈ばかりならべすぎる」と言われるでしょう。

しかし、政治家や弁護士の一家に生まれたら、

「神様、最高の子どもを授《さず》けてくださって、ありがとう!!」

となるのです。

あなたの家の「正解」は、どんなものでしょう？

そして、あなたは、どれだけ家族の正解に沿《そ》って生きているでしょうか？

家族、夫婦、兄弟姉妹のあいだでも、この人生の正解に対しての意見が違うとき、いろんな悲喜劇《ひきげき》が生まれます。なぜなら、自分たちが正しいと主張して、譲《ゆず》らないからです。相手のあり方を受け入れられなくなってしまうのです。

兄弟姉妹でも、生き方は、性格、才能によってまったく違ってきます。それをお互いが受け入れながら、尊重《そんちょう》できる家族は幸せになれるし、そうでなければ不幸になります。

また、自分のなかでも、家族の求めるものと、自分自身の本質との折り合いをつける必要があります。

1 人生は選択のかけ算、どういう人生を選ぶかだけ

よく見ると、人生は選択のかけ算でできています。

あなたの目の前にはいろんな選択肢《し》があると思います。

どういう高校に行くのか、どういう大学に行くのか、どこに就職するのか、転職するのか、自分で事業を興《おこ》すのか、どんなパートナーを選ぶのか——そういう選択肢のかけ算が人生をつくっていきます。

また、どういう人と出会い、どういう人と友達になり、どういう上司に関わるかで、あなたの人間関係は構成されていくのです。

ただ、あまり神経質になる必要はありません。

大学時代、Aという銀行とBという銀行のどちらに就職するかを真剣に悩《なや》ん

でいた先輩がいました。「おまえ、どう思う？」と朝まで、相談のような、独《ひと》り言《ごと》のような話につきあわされたのですが、数年後、その二つの銀行は合併して同じ銀行になりました。先輩につきあった僕の徹夜《てつや》は何だったのか、あの晩を返してほしいと思うぐらいです（笑）。

人生の選択肢を前にして、それほど悩む必要はありません。

なぜなら、運命は不思議なもので、たとえ頑張《がんば》って抵抗しても、また元の場所に戻ったりすることがあるからです。だから、どんなことも、直感で選ぶのがいいと思います。いいかげんだなと思うかもしれませんが、悩んで時間を浪《ろう》費《ひ》するより、さっと決めて前に進むと、うまくいくことが多いのです。

そして一度選んだら、積極的にその道でベストを尽《つ》くすことが大事です。

いちばんもったいないのは、なんとなく生きてしまうことです。

イケてない大人の多くは、なんとなく生きています。情熱を感じることなく、毎日をボーッと、何も考えずに生きています。

たとえば、「なんとなくサラリーマンになってしまった」「なんとなく学校の先生になってしまった」「なんとなく医者になってしまった」……そんなふうに感じている人が多いのですが、誰も無理矢理《むりやり》に、その職業に追い込まれたわけではないはずなのです。

「なんとなく結婚してしまった」と、あなたのお父さんとお母さんは言っているかもしれませんが、それを選んだのは本人です。お見合いだったとか、積極的に選んでいなかったとしても、選んだのは誰でもない、その人なのです。

そうした自分の選択が、事ある毎《ごと》にかけ合わされて、その人の人生をつくっていきます。

いまいるところから、どういう人生を生きたいのか。自分が行きたい道を積極的に選んでください。これからの人生で、目の前の選択肢から何を選ぶか、それがあなたの運命を変えていくということを意識しましょう。

2

社会のしくみを観察する

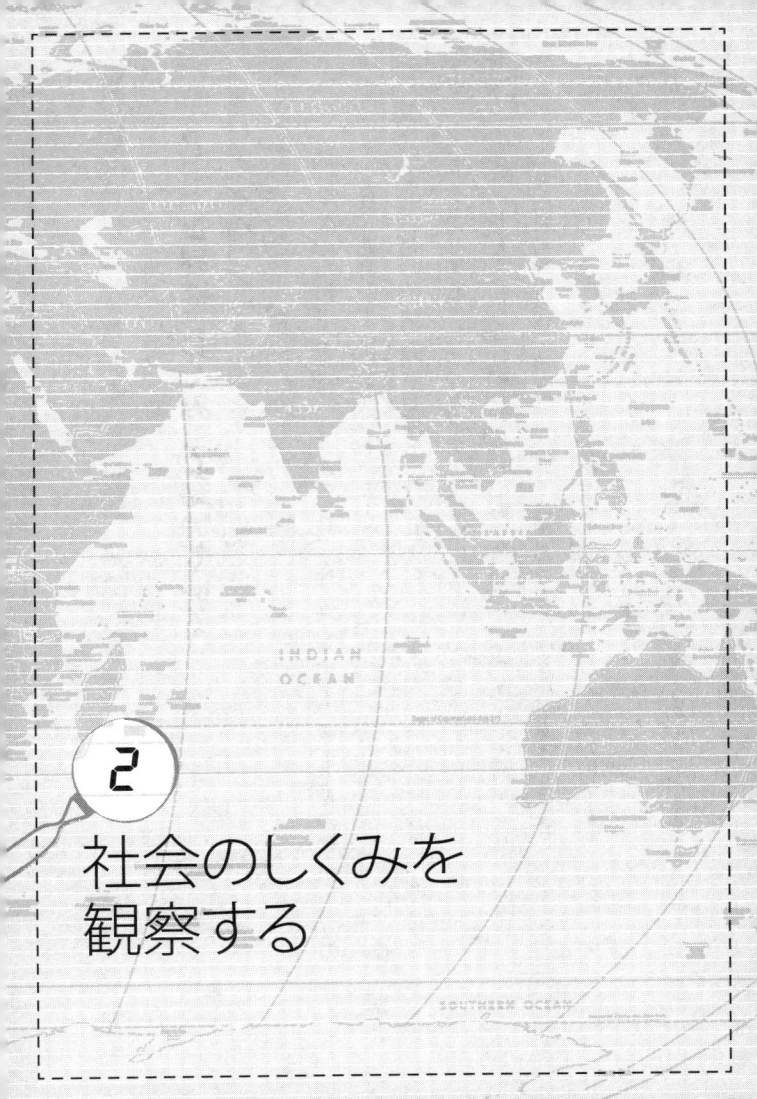

2

世界は「しくみ」で動いている

あなたにはまだ見えないかもしれませんが、いまの資本主義の社会というのは、独自のルールで動いています。

お金のやりとりにしてもそうだし、何にいくらかかるかという世間的な常識そのものも、社会が取り決めた値段によって動いています。

たとえば、なぜ松茸《まつたけ》は何万円もするのでしょうか。一人前1000円で食べられるお寿司屋さんと、一人3万円のお寿司屋さんがあるのはなぜでしょう。

高級なレストランでランチを食べたときに、「一人2万円です」と言われて「高い」と思うのは、あなたにそういう常識がないだけです。

給料にしても、時給800円の人もいれば、3万円の人もいます。技術がなくてもできる仕事は、時給８００円とか１０００円しかもらえません。しかし、特別なスキルを持っていて、お金持ちや大会社を相手に仕事をすると、時給換算《かんさん》で３万円、５万円の報酬《ほうしゅう》をもらえるような仕事もあります。

また世の中には、儲《もう》かりやすい業種、儲かりにくい業種があります。たとえば、いまから40〜50年前は、鉄鋼業《てっこうぎょう》が花形《はながた》産業でした。20〜30年前は銀行、広告、マスコミ、テレビの業界がもてはやされました。いまは全体的にどこも不況ですが、インターネット関連はまだ元気がいいようです。これからも、現時点ではまだ存在していない産業が生まれ、スポットライトを浴《あ》びる業種、企業は移り変わっていくでしょう。

世の中には「お金の流れ」があって、そのときどきで、お金が入ってきやすい仕事、入ってきにくい仕事があります。また、より報《むく》われやすい仕事のやり方、そうでないやり方というのもあります。そのしくみを知らないと、「いつまでたっても報われないいまま」ということになってしまいます。

2 自分の家族・親戚は、どこに位置しているか

あなたは自分の両親が、どういう仕事をしているか知っていますか。

あなたの家族、親戚はどのくらい収入がありますか。

社会的に活躍しているでしょうか。

どのような形態で働いていますか。従業員、自営業、投資家、ビジネスオーナーのどこに属するでしょうか。

あなたの親戚、家族は幸せに仕事をしていますか。

どれだけ社会に貢献《こうけん》しているでしょうか。

どれだけまわりの人たちに応援されていますか。

一族で活躍《かつやく》しているところもあれば、一族全員が厳しい状況にあるという場合もあります。

そして、その一族のなかで、あなたの家は上にいますか、下にいますか。

それはなぜですか。

いつから、そうなったのでしょうか。

いつか、いまの状況が変わることはあるでしょうか。

こんなふうに考えていくと、自分のルーツを知ることになります。

いま、社会的に低い場所にいるからダメなのだということではありません。

自分の現在地を知ることが、これからの生き方に役立つはずです。その立場にいて自分が得していること、損をしていること。それらを知っておくことで、自分のいきたい場所に、確実にいける方法が見えてくるはずです。

あなたやあなたの家族がその場所にいるのには理由があります。それを調べていくことで、あなたは新しい生き方を選択できるようになるのです。

2

学校は特殊《とくしゅ》な世界である

10代のあなたは、不自由で、制限だらけの世界に生きています。これからの人生で、これほど不自由な生活をすることはないと言ってもいいほどです。

もしもいま以上に自由がない生活をするとすれば、牢獄《ろうごく》に入るか、軍隊に入るかぐらいだと思います。それくらい、あなたは劣悪《れつあく》な環境にいるということを、まず知っておきましょう。

居住《きょじゅう》場所は両親の都合《つごう》で決められ、やりたいことは制限され、経済の自由、恋愛の自由、所有《しょゆう》の自由もあまりない。それで、人は幸せになれるかというと、ちょっと無理な相談です。

そして、いまあなたが当たり前だと思っている学校も、実は社会のなかではものすごく特殊な世界です。

実社会でもまれたことのない先生が、１００年も前にできたカリキュラムを教えて成り立っているのが学校です。現実の社会では、10年前どころか、１年前の製品やサービスを提供《ていきょう》していたら、その会社はすぐに倒産です。それだけ学校という社会は、切磋琢磨《せっさたくま》しなくても淘汰《とうた》されない不思議な世界なのです。

そこで時間割に追いまくられて、本当にやりたいことがわからないままに、政府や教育委員会が決めたカリキュラムをこなすことが求められるのです。

あと30年もしたら、基本的人権に「学ぶ内容を選ぶ権利」というのも入ってくるでしょうが、現在の社会では、それは認められていません。

10代は、人生でもっとも不自由な時代と言ってもいいのです。あなたが、何か抑圧《よくあつ》されているような気持ちを感じていたとしても、それはしごく健全《けんぜん》で正しい反応だと僕は思います。

いまの僕は、自由な時間に起きて、自分の好きなようにスケジュールを組んで生きています。当たり前ですが、トイレは行きたいときに行っています。

中高時代の僕はトイレが近かったので、とても困りました。トイレに行く自由もない学校のしくみのバカバカしさに、そのときは怒っていました。

あるとき、「どうして、好きなときにトイレに行ってはいけないんですか？」と、先生の一人に聞いたことがありました。すると、「ほかの生徒の気が散《ち》るから」とのこと。まわりの友達に「気が散る？」と聞いたら、みんな面白がって「全然気にならない！」と拍手喝采《かっさい》しながら、返事をしてくれました。

そこで先生に、「ほら、大丈夫みたいです。僕は好きなときにトイレに行きたいと思います。先生にいちいち許可を求めると、お互い不都合だから、あらかじめ、いつ行ってもいいと許可をもらってもいいですか？」と提案しました。

実に物わかりのいい先生だったので、いつでもトイレに行っていいことになりましたが、そうなると、あれほど授業中に行きたかったトイレに行く気持ちが失《う》せてしまいました。あれは、生理的なものではなく、反抗心の表れだったのでしょう。懐《なつ》かしい思い出です。

2 与えるものが受け取れるもの

この世界にはいろいろな法則があります。その世界の法則から逃《のが》れられる人はいません。

たとえばビルの2階から落ちたら、たいてい大ケガをします。ビルの10階から落ちれば確実に命はないでしょう。それは「万有引力《ばんゆういんりょく》の法則」がはたらいているからです。法則を知らないからといって、その法則の力から逃れることはできません。

人間関係、ビジネス、お金、健康の面でも、この法則ははたらいています。

たとえば、食べすぎたら太る。いつもイヤミばかりを言う人は嫌われる。勉強しなかったら成績が落ちる。……当たり前のことです。

努力もせずに、いい結果だけ期待しても、それは無理です。勉強していないのに成績が上がってほしいとか、親切にしていないのに彼女に振り向いてもらおうとかいうのは甘い考え方です。

声をかけつづければ、モテない人でも、モテるようになります。勉強も続ければ、必ず成績は上がっていくものです。

与えれば与えるほど返ってくる。このことに気がつき、それを実行した人が、世の中でより幸せになり、より豊かになります。

これに気がついたのは僕が19歳のときです。それからは、自分が持っているもの——といっても当時はたいしたものは持っていませんでしたが、自分の情熱と友情と愛情を「まわりの人に与える」生き方に切り替えました。

その結果、友情は与えれば与えるほど返ってくるし、愛情も与えれば与えるほど返ってくる。お金も与えれば与えるほど返ってくると知ったのです。

お金の場合、実際にお金をあげるということではありません。相手の利益《りえき》を増やそう、相手を豊かにしよう、相手を儲けさせよう……そういう人のところにお金はやってきます。または、相手を気持ちよくさせてあげることができても同じです。

たとえば、相手のいいところを褒《ほ》めてあげる。相手の素晴らしいところを引き出してあげられる人には、自然と人は集まります。

逆に、悪口ばかり言ったり、会った人の悪いところばかりを見ていると、人は遠ざかっていきます。これは「万有引力の法則」と同じで、１００年前も、いまも、１００年後も変わらない法則です。

「あなたが与えたものが、あなたが人生で受け取るもの」です。

これから数十年間、あなたは社会に、何かを与えつづけることになります。

イライラを与える人もいるだろうし、安らぎを与える人もいるでしょう。仕事で何らかのものを提供する――セールスやマーケティング、医療や教育などさまざまな分野で、世の中に貢献することになるわけですが、それがあなたの報酬を決めるわけです。

2

感謝の法則をマスターしよう

ふだん行く店を思い浮かべてください。「ありがとう」と自然に言える店員がいる店と、ぶっきらぼうな挨拶《あいさつ》しかしない店があるとしたら、どちらが感じのいい店ですか？　また、どちらが繁盛《はんじょう》しているでしょうか？

あなたのまわりの人たちを、「ありがとうをたくさん言う人」と、「ありがとうを言わない人」に分けたとき、それぞれの人生を想像してみてください。「ありがとう」をどれくらい言い、思うかで、人生は大きく違ってきます。

『お金と人生の真実』（サンマーク出版刊）でも紹介した話ですが、「ありがとうカード」を社内で出し合うことを、自分の会社で習慣《しゅうかん》にしているという経営者がいます。

「頑張ってくれて、ありがとう」

「フォローしてくれて、ありがとう」

「素敵《すてき》な笑顔で挨拶してくれて、ありがとう」

そういうカードをお互いに、あげたり、もらったりするのです。

役職があろうとなかろうと関係なく、やりとりをするのですが、あるとき、誰がいちばん「ありがとうカード」をもらっているのかを調べたそうです。

1番になったのは、社長でもなく、成績がトップの人でもありませんでした。「ありがとうカード」をいちばん出した人が、そこの会社でいちばん、「ありがとうカード」を受け取った人だったのです。

これがまさしく、感謝の法則なのです。

たくさん感謝をして、たくさん人を豊かにした人には、同じくらいの感謝と豊かさが返ってきます。

意地悪《いじわる》なことをして、人に不義理《ふぎり》ばかりをしていたら、それは必ず返ってくるのです。

人生を楽しく生きるコツは、とっても簡単なことです。

「あなたが受け取りたいもの」を与えるだけでいいのです。

笑顔を受け取りたかったら、笑顔で挨拶しましょう。

気持ちよさを受け取りたかったら、気持ちよく人に接しましょう。

自分は何も出さずに、いいものがほしい、人からよくされたいといっても、それは無理です。

10代という時代は、両親に守られています。少しぐらい失礼な態度を取っても、寛大《かんだい》な大人たちは、あなたを大目に見てくれることもあるでしょう。

しかし、やがて人生で帳尻《ちょうじり》を合わせるときがやってきます。

両親がお金持ちでもダメになる子どもは、自分が十分与えなかった結果として、そうなります。逆に、子ども時代は貧乏《びんぼう》でも、大人になってから成功する人がいます。彼らは、ずっと与えつづけたので、豊かになれたのです。

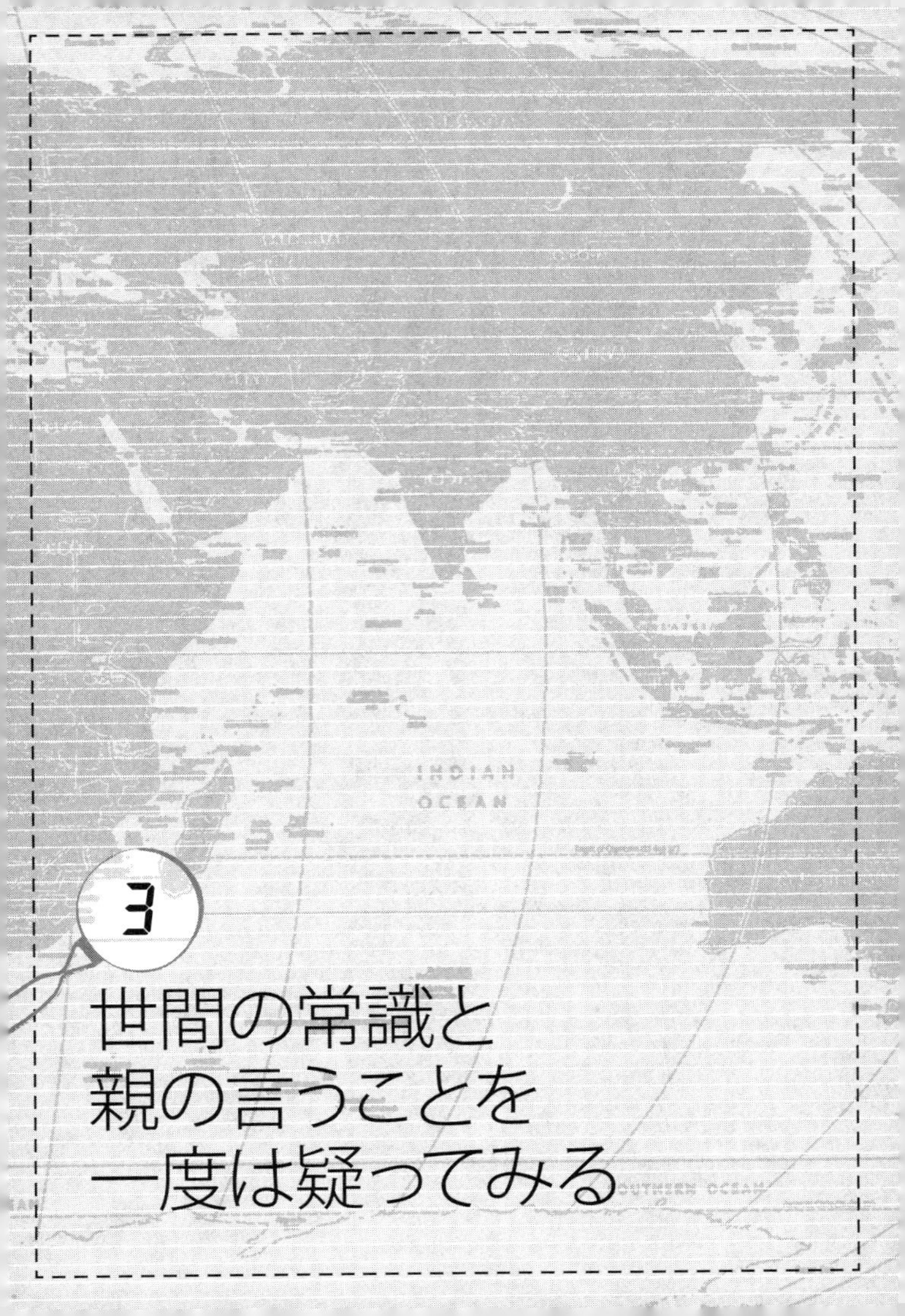

3

世間の常識と親の言うことを一度は疑ってみる

3 何も考えていない人が大半の世の中

友達がメールの返事をしてこなかったり、部活の連絡が悪かったり、約束をすっぽかされたりしたときに、「あいつは何を考えているんだ?」と怒りを感じることがありませんか。

そういうことは、大人になってもよく起こります。仕事をしていると、部下や上司、取引先、お客さんに対して、「この人、何を考えているんだろう?」と思うことが1日に最低でも10回ぐらいはあるでしょう。

僕もときどき同じように感じることがあります。そんなときには、「この人は何も考えていないんだ」と考えるようにしています。なぜかといえば、実際に大半の人たちは、本当に「何も考えず」に生活しているからです。

イギリスの劇作家、ジョージ・バーナード・ショーは、「私は週に一回考えることで名声を得た」というような言葉を残しています。それだけ、ほとんどの人たちは、何も考えず、反応のままに生きているのだと思います。

「反応のままに生きている」とは、目覚まし時計が鳴ったら起きる、そして、会社や学校に行く。やらなければならないことをやる。失敗したら謝《あやま》る。そして、うまくいくと喜び、うまくいかないとへこみ、ちょっとかわいい人、素敵な人を見たら近くに寄っていく。ノーと言われたら落ち込み、仲良くなったら単純に喜ぶ……ということです。

結婚したら子どもが生まれ、泣くとうるさいと思い、笑うとかわいいと思い、なんとか日常生活をこなしていく。その十何年後が、いまのあなたの家族です。そうやって大半の人が生活しているわけです。

あなたは考えて生きているでしょうか、それとも、ただまわりで起こることに反応して生きているだけでしょうか。

何かをやろうとするとき、ほとんどの人たちは何も考えていないので、「ちょっとだけ考えた人」が群《ぐん》を抜いて成功できるようになっています。

それができる人たちは、人口の5パーセントしかいません。これは、ローマ時代でも、100年前でも、いまでも一緒かもしれません。

考えられる人になれるかどうかで、あなたの人生は変わってきます。

たとえばビジネスの成功の秘訣《ひけつ》は、「こういうサービスや商品があったらいいな」ということを考えて、それを行動に移すことです。

恋愛でも、「彼女だったらこう考えるだろうな」「彼だったらこう考えるだろうな」と気をまわしてあげられる人が幸せになります。

人間関係でも、「こういうことを言ったら相手が傷つくな」「こうやったら喜んでくれるな」ということをきちんと考えられる人と、ただ単に思いつきを喋《しゃべ》っている人とでは、前者のほうが好かれるのは言うまでもないでしょう。

では、何も考えていない人たちとは、どうつきあっていけばいいのか。それこそが成功の鍵《かぎ》であり、人生の幸せと豊かさの鍵です。

その人たちに対して、「本音を言うな」ということではありません。

自分が思ったことが１００パーセント正しいとはかぎらないし、自分が言うことが１００パーセント相手に受け入れられるわけでもないということをよくわかっておく必要があるということです。

幸せな人は、目隠しをしながらぶつかり合って歩く人たちをたくみに避《よ》けつつ、誰もこけないように配慮《はいりょ》しながら、自分のやりたいことをやって、結果を出しているのです。

もしもあなたが、いまの友人、あるいは大人たちにこづきまわされているような感じがしているとしたら、それは正常な感覚です。

あなたのまわりの人たちは、目隠ししながら、フラフラ歩いているということを知っておきましょう。

そして、いきなりぶつかってきた人に怒るのではなく、彼らの大変な人生に理解を示してあげましょう。

彼らのために、自分の心の平安をなくす必要はないのです。

3

90パーセントの大人は迷いながら生きている

これまで本を40冊ほど出しましたが、毎日、たくさんの読者の方からメールをいただきます。そのなかでいちばん多いのは、「人生で何をやりたいのかわからない」という質問です。20代、30代、40代、50代、なかには60代の人からも来ます。

そうして見てみると、人生で何をやりたいのかをわかっている人よりも、わからない人のほうが圧倒的《あっとうてき》に多いのが現状です。

10代から見ると、大人になればもっと賢《かしこ》くなっていると思うかもしれませんが、そのうちに誰もが実感するのは、大人の人生も、結構大変なのだということです。仕事、お金、恋愛、子育てなど、やることはいっぱいあります。そして、そのどれもうまくできていないのが、ふつうの大人です。

賢い10代の人なら冷静に観察できるので、両親も含めて、まわりの大人がバカに見えるでしょう。そして、それは正しい、と言わなければなりません。

なぜかというと、実際のところ90パーセントぐらいの大人は迷って生きているからです。あとの5パーセントは、自分は大丈夫だと勘違《かんちが》いして生きていて、残りの5パーセントぐらいが、本当に幸せに生きている人です。

圧倒的多数の大人は、お金に迷い、仕事に迷い、恋愛に迷い、家族に迷い、自分が誰かわからないまま、目の前のことをやり過ごしているだけなのです。

なぜ仕事に迷うのか？　迷うならば、そんな仕事は辞《や》めればいいと思うかもしれませんが、それができないのが、大人たちにとっての現実なのです。

「そんな世の中、おかしいじゃないですか」という、あなたの声が聞こえてきそうですが――そう、いまの世の中はとてもおかしいのです。言葉を換えると、「まだ世の中は完全ではない」のです。

現時点での世界システムは、人類が試行錯誤《しこうさくご》している試作品なのです。王様が君臨《くんりん》する絶対君主制から、民主主義が主流になったのは、つい200年前のことです。経済的には、資本主義から始まって、社会主義、共産主義……といろいろなしくみが試されてきました。

そして、「社会主義と共産主義はどうもうまく機能しない」ということはわかってきました。しかし、この数年、いまのかたちの資本主義もあやしくなってきたというところで、あなたのまわりの大人だけでなく、人類全体が迷っているのが、いまの世界の現状です。

あなたは、その不完全な世界に、このタイミングで生まれたということを、冷静に見てください。自由のない世界に生まれるよりはましですが、理想的な環境というわけでもありません。

いまの世界や、それをつくった大人たちを弁護《べんご》しているのではなく、「21世紀の初頭《しょとう》でも、まだ迷っているのが私たち人間なのだ」と考えたほうが、より現実的だと言っているのです。

3

何も考えないとこうなるというサンプルを集めてみよう

ここまで読んできたあなたは、「自分は、大人になっても迷っている『90パーセント』にはなりたくない」と思うでしょう。ですが、いまの大人たちも、自分が10代の頃には、あなたと同じように感じていたはずです。

あなたがどこまでいけるのか。それは10年後、あなたが大人になったときにわかるわけです。

「批判《ひはん》していると、その批判しているものになる」という法則があります。

「大人はバカばっかりだ」と感じているかもしれませんが、あなたも90パーセントの確率で、そのバカな大人の一人になっていくのです。

ただ批判するだけで、何も考えないで行動していたら、間違いなくそうなると言えます。

しっかり考えないと、大切な選択をするときに、楽で安全なもの、とりあえず×《バツ》でなさそうなものを取ってしまいがちです。

だから、いまから考える練習をしておきましょう。

「人生とは何なんだろう」

「自分はどういうふうに生きたいんだろう」

「いまやっていることは正しいのだろうか」

こうしたことを考えずにいると、打ち込めない仕事を選び、心から愛しているとは言えない相手と結婚し、好きでもない家に住むといった、理想とはほど遠い人生を生きる羽目《はめ》になるのです。

大人たちをよく観察してください。

「何も考えないと自分もこうなるんだな。こうなりたくないな」というサンプルを集めるのは、10代の特権《とっけん》です。

3 頑張ればなんとかなるというのは大人の世界では通用しない

営業マンが仕事しているところをイメージしてみましょう。

朝から晩までセールスをやって、頑張っている人が報われるかというと、必ずしもそうではありません。

セールスでトップになる人たちは、「紹介」で仕事をしています。

朝から晩まで飛び込みセールスをしている人は、なかなか成績が上がりません。なぜなら、飛び込みセールスには無駄《むだ》が多いからです。

仕事は、頑張ればなんとかなるというものではなく、より信頼されたり、大事にされたり、応援されたりする人のほうが成功するということです。

だから、頑張ればなんとかなるとは思わないでください。

だからといって、頑張らなくても成功するかというと、そういうわけでもありません。誰だって、いいかげんに手を抜いている人よりも、自分の仕事に真剣勝負で打ち込む人のほうを応援したくなるものです。


迷っている大人たちは手を抜いているかといえば、そんなことはありません。

そして、働いている人たちはみんな、一生懸命頑張っています。

あなたの両親を見てください。

たぶん仕事に、家事に、一生懸命なはずです。家で気を抜いているように感じるのは、外の世界でクタクタに疲れ切ってしまっているからです。

10代のあなたに見ておいてほしい点は、まさしくそこです。

ほとんどの人たちは真剣に頑張っています。けれども、一生懸命頑張るだけでは人生はうまくいかない。「頑張ればなんとかなる」というのは、世の中では通用しないということを、いまの段階でわかっておいてほしいと思います。

4
幸せで素敵な大人に出会う

4

これから誰と出会うかで、あなたの人生は決まる

人生は出会う人で決まります。

「人を騙《だま》してでもお金を稼《かせ》いだほうが勝ちだ」と考える人に囲まれると、あなたもやがて、そういう人になってしまうかもしれません。

「人に喜ばれることが仕事だ」という価値観を持つ人と一緒に仕事をすると、人に喜んでもらいながら仕事をするという習慣ができます。すると、あなたはふつうの人より、はるかに成功しやすくなるでしょう。

「愛に溢《あふ》れた人」に囲まれれば、愛に溢れた人になり、「楽しい生き方をしている人」は、楽しい生き方をしている人に出会うようになります。

10代、20代で素晴らしい人に出会うのか、凡庸《ぼんよう》な人に囲まれるのか、悪意の

ある人に囲まれるのかでは、全然違った人生になります。

「凡庸な人」に囲まれた場合、人生は平凡なものになり、「邪悪《じゃあく》な人」に囲まれたら、犯罪に手を染《そ》めてしまうようになることもあるのです。

そして一流の人に出会うと、それに影響されて一流の道を志《こころざ》すことになるかもしれません。


一流の人に出会うという体験は、10代のときには難しいかもしれませんが、人生の転換点《てんかんてん》になるものです。

僕はそのことに気がついて、早くからできるかぎり積極的に、一流の人たちとの出会いを求めました。

特に大学に入ってからは、ノーベル賞クラスの方々を人づてに紹介してもらって会ったり、講演会に出かけていって弟子《でし》入りするようにしました。

そういう人との出会いをきっかけに、僕は自分の理想の20代、30代、40代、50代を想像して、そこから逆算して、10代のときに何をしておけばいいのかというふうに考えるようになりました。

10代のときに、「この人は素晴らしい」と思える人に出会えるというのは、その人たちと同じ道に進まなくても、その後のあなたの人生に素晴らしい影響を与えるでしょう。

また、僕は中学、高校とカトリックの学校に通っていて、そこの先生である神父さんから人生について教わりました。社会のことを真剣に考えていた彼らは、人間としても大変尊敬できる人たちでした。僕に英語の世界を開いてくれたのも、そんな神父さんの一人です。

いままでの自分の体験を振り返っても、素晴らしい大人に出会うというのは、人生最大のギフトだと思います。


あなたは、どんな人生を生きたいですか。

どんな人に会いたいですか。

4

大人のなかには、幸せな大人と不幸な大人がいることを知る

10代のときには、「大人なら、たいていのことを知っているはずだ」というふうに思っているかもしれませんが、そんなことはありません。

実は大人は、あなたのいまの友達がそのまま歳だけ食《く》った人たちだ、と考えるとわかりやすいでしょう。

つまり、あなたのいまのクラスメートで時間にルーズな人は、ほぼ間違いなく10年後も時間にルーズです。

いま金銭関係にルーズな人は、ほぼ間違いなく10年後も金銭的にルーズです。男女関係にルーズな人は10年後も男女関係のトラブルに巻き込まれているでしょう。いま体重のコントロールができない人は、10年後も太ったままでい

る可能性が高いのです。

つまり、あなたの学校のクラスがそのまま、大人の世界の縮図《しゅくず》になるというわけです。

したがって、あなたもほぼ間違いなく、このままいくと、いまの生き方の延長線上の人になります。


そして、幸せな大人はごくごく少数で、不幸な大人のほうが多いのはなぜかといえば、最初に話したように、「自分の本当にやりたいことがわかっている」だけでなく、「それを情熱的に追いかけて結果を出す」ことまでも実践《じっせん》できる人がなかなかいないからです。

社会に絶望《ぜつぼう》したり、人間関係に絶望したり、お金に翻弄《ほんろう》されて生きているのが、ほとんどの大人たちの現実の姿です。

４ 幸せな大人の３つの条件

では、幸せな人とは、いったいどんな人でしょうか。僕は次の３つが、「幸せな大人の条件」だと思います。

（１）自分の大好きなことをやって、毎日を生きていること
（２）人間関係が良好であること
（３）自分が誰かわかっていること

「自分の大好きなことをやっている」ということは、朝から晩までハッピーに生活しているということです。

1日24時間を好きなように設計できるというのは、最高の豊かさです。

そして、そのためには、ある程度の収入や資産が必要です。それを自分で稼いだか、自分の家族が稼いだかは、あまり関係ありません。

2番目の「良好な人間関係」を持っている人はとても幸せです。

なぜなら幸せの元は人間関係だからです。どれだけビジネスがうまくいっていたとしても、人間関係やパートナーシップがうまくいっていないと、幸せは感じにくいのです。

3番目が、「自分が誰かを知る」。自分はこういう人間だということを知っている人は、リラックスしていて、芯《しん》が強くなります。

なぜなら、自分をよく知っていると、自分以外のものになろうとしないし、できないことに対して落ち込むこともありません。できないことはできないし、できることはできると、よくわかっているからです。

たとえば僕は、100メートルを8秒で走れませんが、それで落ち込んだりはしません。頑張って走って、転んでケガをするというリスクも取らないでしよう。なぜなら、それは自分がやりたいことではないからです。でも、２００人の前で話したり、本を書いたりすることは、自然にできます。

自分がやりたいこと、楽しいことがわかっている人は、自然とそれができるし、それを１００パーセント楽しめます。

10代のあなたが大人たちに言われるのは、あなたの才能に関係なく、ただ「１００メートルを10秒で走れるようになりなさい」ということなのです。「みんなの平均が12秒だから」というようなことを言われて、それを押しつけられているのではないでしょうか。

将来、プロのスポーツ選手にでもならないかぎり、「１００メートルを何秒で走れるか」ということを問題にされることはありません。だから、「いまできないこと」で落ち込んだり、へこんだりしなくてよいのです。それは、あなたの人生には、必要でないことだとわかっておけばよいのです。

では、自分が勝負するべき場所はどこなのか、それをぼんやりでも、考えはじめましょう。ヒントは、あなたがワクワクすることのなかにあります。

4 一流の人に出会える場所は……

どこに行けば、「幸せで素敵な大人」たちに会えるでしょうか。

そういう人たちは、どこにでもいるわけではありません。

それが会社に勤めている人なら、会社のなかで自分の大好きな仕事をイキイキとやっているでしょう。また、大好きなことを極《きわ》めていった結果、自分で会社を経営しているかもしれません。いずれの場合も、自分の好きなことをとことんやっていることが共通点です。

ある程度成功した人は、自由に時間を過ごしていて、車での移動も多いので、電車にはほとんど乗らないかもしれません。

だから、なかなか会えないわけですが、うまく接点を探し、そういう人と出会うチャンスをたぐり寄せる技術を10代のうちに身につけましょう。

幸せで素敵な大人に出会うのにいちばん簡単な方法は、ボランティア活動をすることです。

月に一回でもいいから、たとえば老人ホームでボランティアをする。探してみれば、そういう場所や機会はいくらでもあります。

そこで会うのは、とても素晴らしい心を持つ人たちです。生活に困っている人たちは、ボランティアはできません。精神的にも経済的にもある程度余裕がある彼らとの出会いは、あなたの刺激になるでしょう。

ほとんどの大人は迷っていると言いましたが、ボランティア活動をしている人たちには、イキイキと輝いている人が多いものです。

そういう人たちに出会うのは、10代ではとても大事なことだと思います。

また、有名人、成功している人に手紙を書いてみるのもいいでしょう。アドレスを公開している人にはメールを出すというのも一つの効果的な方法です。

もちろん、返事はほとんど返ってこないと思っておいてください。

「出会い」は待っていてはやってきません。積極的に、その人たちに会いにいかなければなりません。なかには会ってくれる人も必ずいます。

もちろん闇雲《やみくも》にメールを出したからといって、会ってくれるわけではありません。10代のあなたの感性で、その人たちに提供できるものを考えてみましょう。私も、いろんなツテを頼って、尊敬する人のオフィスで〝押しかけボランティア〟をさせてもらいました。

「自分の会いたい人に、どうすれば出会えるのか」というのは、10代のあなたに与えられている課題だと言ってもいいかもしれません。

自分なりに考え、工夫してみてください。私のオフィスでも、講演会やセミナーの際には、ボランティアスタッフの方に受付などをお願いしています。ボランティア同士が仲良くなって旅に出たり、ビジネスをスタートしたり、恋が始まったりと、見ているこちらとしても、楽しい気分になってきます。

5

10代の頃の
両親を
イメージする

5 両親も10代だったことがある

あなたがふつうの10代だったら、いま、両親に対して批判的に感じているかもしれません。両親の生き方、夫婦関係、仕事のやり方、お金の使い方、稼ぎ方、言動、体型のどこかに批判的である可能性が大です。

両親に批判的になるのは残念なことですが、10代にとっては、通過儀礼《つうかぎれい》のようなものです。

そんな「イケてない」両親も、数十年前は、10代だったことがあるということを、あなたは考えたことがありますか。

彼らにも、あなたと同じ年齢だったときがあったことを、いま一度思い出して、彼らの10代がどんなだったか、想像してみましょう。

10代の頃、彼らはどんなだったか、聞いたことがありますか？

10代をどう過ごしたから、いまこうなったという、いちばん身近なサンプルとして、あれこれ自分の両親に聞いてみてください。


あなたが批判的に感じている両親の性格や言動、それはほぼ１００パーセントの確率で、あなたのなかにもあります。だから、批判的になるのです。

もしあなたが両親に似ていなかったら、それほど批判的にはならずに、ただ「そういう人もいるよね」と軽く受けとめられると思います。

あなたが両親を批判するのは、あなた自身にも、まったくそれと同じ部分があって、絶対に受け入れたくないと思っているからです。そして、それに対してモラル的に優位《ゆうい》に立とうとし、相手を攻撃するのが、批判の本質なのです。

両親の10代の頃のことを聞いて、がっかりしたり、将来に希望が持てなくなったりするかもしれません。でも、そこであきらめずに、そこから自分はどうするかを考えていきましょう。

5 もしもタイムマシンで10代の両親に会えたら

もしもタイムマシンで10代の頃の両親に会いにいけたら、あなたは両親とどんな話をしたいですか。

法事《ほうじ》などで親戚が集まったときに、自分の両親が10代の頃どんなだったかを親戚の人たちに聞いてみましょう。

もしもあなたと両親との関係が悪くない場合は、直接、両親に聞いてみてください。

先ほどお話ししましたが、かなり高い確率で、いまのあなたと似たり寄ったりのはずです。だとしたら、あなたが、よほど自分を変えないかぎり、いまの両親の姿が、あなたの将来の天井《てんじょう》だと考えていいでしょう。あなたは、そのことにショックを受けるかもしれませんが、残念ながら、これが世界の現実です。

実際、なかなか親を超えられる人はいません。

なぜなら、人生というのは、ＤＮＡ遺伝子、才能、習慣と行動のかけ算によって決まるわけですが、それらはほとんど親に規定されるからです。

あなたにできるのは、習慣を変えることと才能を磨《みが》くこと。そして、行動することですが、全体のなかでこれらの占《し》める割合は、そんなに多くありません。

あなたが自分で意識して変わろうと強く思わなかったら、新しい才能を開花《かいか》させることはもちろん、両親を超えることは難しいでしょう。

両親が10代の頃、将来何になりたかったのかを、まず聞いてみましょう。

彼らにも10代の頃の夢があったはずです。どういう夢を持っていたのか。将来何をやりたいと思っていたのか聞いてみてください。

そして、どんなことを考え、何にどう迷い、そして、どういう壁にぶち当たったのか。どんなふうに、その壁を乗り越え、夢をかなえたのか、あるいは、どういうふうに夢破《やぶ》れて現在に至《いた》ったのかを聞いてみましょう。

両親が通った道は、そのままあなたが通る可能性がある道です。

先輩として、いろいろ聞いてみましょう。


あなたのお父さんとお母さんは、人生についてどう感じていたのでしょう。

お金について、どう感じていたのでしょう。

恋愛については、どう感じていたのでしょう。

モテるタイプだったのか、それともモテないタイプだったのか。

クラスで人気者だったのか、そうでなかったのか。

10代の頃の両親を知ることで、それまでは反抗心でいっぱいだったはずのあなたも、同じ状況だったら自分はどうするかと考えるようになります。

両親に人生の先輩として応援してもらうのか、それとも、ただ批判するだけなのか。それが、あなたがこの先子どものままでいるか、大人になれるかの境《さかい》目《め》になります。

5 両親のいいところと悪いところを棚卸《たなおろ》しする

自分のことを知るために、あなたの両親のいいところ、悪いところを密《ひそ》かに棚卸ししてみましょう。なぜなら、知らないあいだに、あなたがそれらを受け継《つ》いでいる可能性が高いからです。

あなたの両親はどこが素晴らしいのでしょうか。
どこがダメなのでしょうか。
どれぐらい社会的に活躍していますか。
お金を十分に稼いでいますか。どれだけ幸せに生きていますか。
あなたのお父さん、お母さんには、親友がいますか。

心の平安を持っていますか。誰を愛し、誰に愛されていますか。

あなたの両親は１００パーセント、ハッピーでしょうか。

仕事関係の人とは、いい人間関係を築けているでしょうか。

夫婦関係はどうでしょう。うまくいっているでしょうか、それとも、ケンカが絶《た》えないでしょうか。


これがあなたのお父さん、お母さんの人生です。

それに対して反発もあるでしょうが、これがあなたの人生のベースです。

そして、あなたは両親がいて初めてこの世界にいるということを思い出してください。

あなたの両親は、あなたの目から見たら不十分な生き方をしているかもしれません。場合によっては、小さい頃に死別したり、離婚したりして、親のことをよく知らない人もいるでしょう。でも、両親のいいところも悪いところも上手に受けとめることができれば、もっと生きやすくなります。

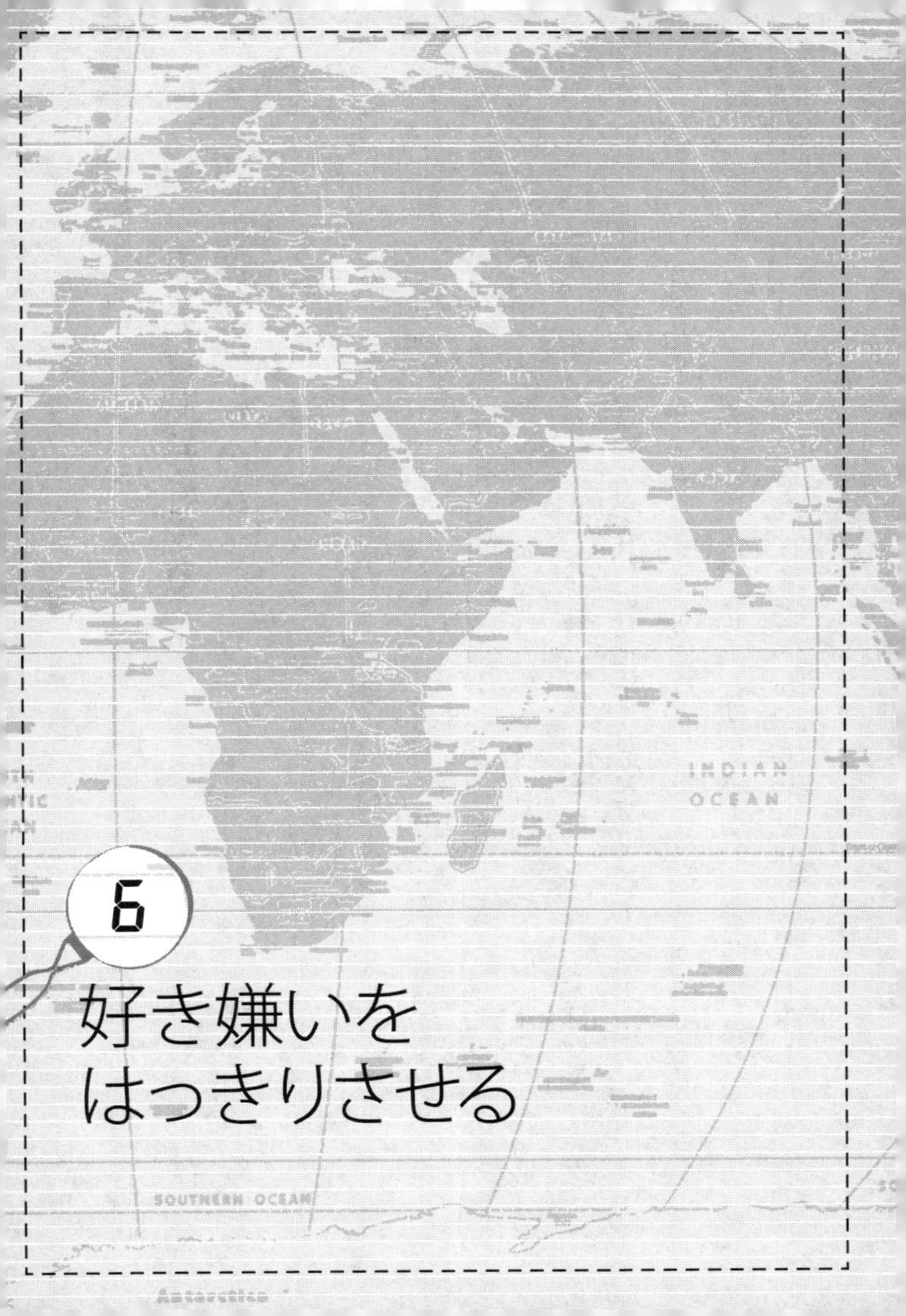

6

好き嫌いを はっきりさせる

6 あなたは何が好きで、何が嫌いなのか

幸せに生きるうえで大切なのは、「自分の好き嫌い」をはっきり知ることです。前に90パーセントの大人が迷っていると言いましたが、なぜ迷っているのかといえば、自分は何が好きで、何が嫌いなのかがわからないからです。

なぜ、そんなふうになってしまったのか。その原因は、小さい頃からの「好き嫌いはなくしなさい」という教育と、嫌いなものでも、できるだけ好きになったほうがいいという日本独特の文化によるものではないでしょうか。

あなたにも、覚えがありませんか？

「ピーマンが嫌いだった」「隣りの席の子がどうしても好きになれなかった」というようなことは誰にでもあるでしょう。でも、「それではいけない」とあ

なたは教えられたのではありませんか？

食べ物の好き嫌いも、人の好き嫌いも、ないほうがいいのかもしれませんが、人間である以上、好き嫌いが出るのも自然なことだと思います。

嫌いなものをなくそうとすれば、好きなものもなくなってきます。好きだという感情を持つことが、いけないことだと考えるようになるからです。そうなると、嫌いなものがなくなっていく代わりに、特に好きなものもわからなくなってしまうのです。

あなたは何が嫌いなのか。何が好きなのか。それを意識してみてください。

幸せの原則は、好きなものに囲まれて、好きなことをすることです。

好きなものがわからないと、自分を幸せにする方法も見つけられません。

いまからでも遅くありません。好き嫌いをはっきりさせましょう。

好き嫌いをはっきりさせると、自分の姿が見えてきます。

たとえば、人と会うのが好き、でも自分が話すのは嫌い。年上の人の話を聞くのは好きだけど、年下の人の話を聞くのは苦手。朝に一人で散歩するのは好きだけど、夜に一人で過ごすのは嫌い……というふうに見ていくと、自分がどんな人と、どんなふうにつきあうと楽しいのかわかってきませんか。

職業について考えるときでも、自分は人が好きなのか、物が好きなのか、物を作るのが好きなのか、人と人を引き合わせるのが好きなのかと考えるだけで、進みたい方向が、だんだん見えてきます。

「自分の大好き」をとことん追求できた人は、幸せです。ビジネス、教育、政治、アート、スポーツ、どの分野でも、一流の人は、みんな自分が選んだ道でイキイキと生きています。

あなたも、一生続けたいと思うものを見つけてください。

早く見つけるほど、それだけ社会的に成功するのも早くなります。なかには、50代で自分の好きなことを見つける人もいますが、そこから始めても、楽しむ時間はあまり残されていません。

6 魅力《みりょく》的な人の共通点とは

「好き嫌いがあると、人から嫌われてしまうのではないか」と心配する人がいます。好き嫌いをはっきりさせると、性格が悪くなったような気がして、人が離れていくと考えてしまいがちですが、実際はその逆です。

好き嫌いがはっきりしている人ほど魅力的なのです。

常識に縛《しば》られない子どもは、人前で「これは嫌い」とはっきり好き嫌いを言いますが、大人になるにつれ、そういうことは言ってはいけないと考えるようになります。

けれども、大人になっても自分の好き嫌いがはっきり言える人は、実は評価が高いのです。

人によっては、それを見て「キツい人だ」と思うかもしれませんが、好き嫌いがはっきりしている人は、自分がある人です。

人の顔色を見ずに、発言できる人です。

そういう人は、一見《いっけん》嫌われそうですが、その潔《いさぎよ》い態度に好感を持たれ、信頼されることが多いのです。

自分の意見がない人には誰もついていきません。「なんでもいいよ」と言う人は、誰にも評価されない人になってしまうのです。

冒頭《ぼうとう》の質問に戻れば、好き嫌いがはっきりしている人は、そのために嫌われることもあります。けれども、それ以上に、好かれることも多いのです。

好き嫌いを言わなければ、嫌われることはないかもしれませんが、だからといって、好かれているのかということも考えてみましょう。

6

どんなときも、ワクワクすることを基準にして選ぶ

人生を楽しく生きるには、どんなときでも「いちばんワクワクすること」を選ぶことです。

ワクワクすることが見つからないときは、やりたいけれど、「いちばん怖いこと」をやってください。それは結果的には同じことです。「怖いこと」と「ワクワクすること」は、コインの表裏だからです。

あなたが人生を歩んでいくとき、いつも目の前に5つの扉が用意されています。安全な扉、リスクが高い扉、楽しいことが起こりそうな扉、失望《しつぼう》するかもしれない扉、失敗すればすべてを失ってしまう扉。いつも安全な扉だけを開けていけば、傷つくことはないかもしれませんが、退屈《たいくつ》な人生が待っています。

安全な人生とは、安定していて失敗のない人生です。しかし、そこには変化も驚《おどろ》きも喜びもありません。

人間は欲張りで、安定した状態には耐えられないようにできています。安定が長く続きすぎると、退屈して、安定自体に飽《あ》きてしまうからです。


もちろん、安定を選んではいけないというのではありません。

ただ、安定ばかりを求めると、楽しさが減りますよと言っているのです。

また、いつもワクワクしつづける人生はしんどいものです。新たなことに挑戦するのは、怖いことで、神経が疲れます。だから怖くなったり、疲れたときには、安定という名前の小部屋で小休止《しょうきゅうし》するのもいいでしょう。

けれども、人生は一度だけです。誰のものでもない、あなたの人生です。

人生を面白くしようと思ったら、ワクワクすることを選んでください。

6 あなたの大好きが人生を切り開く

人生には、４つの生き方があります。

（１）好きなことをやって、お金がある生き方
（２）好きなことをやって、お金がない生き方
（３）嫌いなことをやって、お金がある生き方
（４）嫌いなことをやって、お金がない生き方

自分の好きなことができる人生は、お金をもたらす、もたらさないに関わらず、あなたの人生を明るく、情熱的にしてくれるはずです。

でも、たいていの人たちが、好きなことをやる人生を選んでいません。それ

は、なぜでしょうか。

それは、小さい頃から「好き嫌いはいけない」と言われて育ったために、「好きなことをして生きる人生」にＯＫが出せていないからでしょう。

楽しいこと、好きなことをするのを、日本では「無責任」で、「悪い」ことだと考える文化があるためです。


また、仕事はつらいもの、我慢《がまん》してするものだと考えている人も少なくありません。

それが思い込みであることに気づいてください。

あなたは、あなたが好きなことを選択できるのです。

大好きなことをやれば、人は明るく情熱的になって、輝いていきます。

チャンスも、人も、お金も、情報も、向こうからどんどんやってきます。

そうやって、成功していくのです。

そのすべてのスタートは、「大好きなことをやる」ことにあるのです。

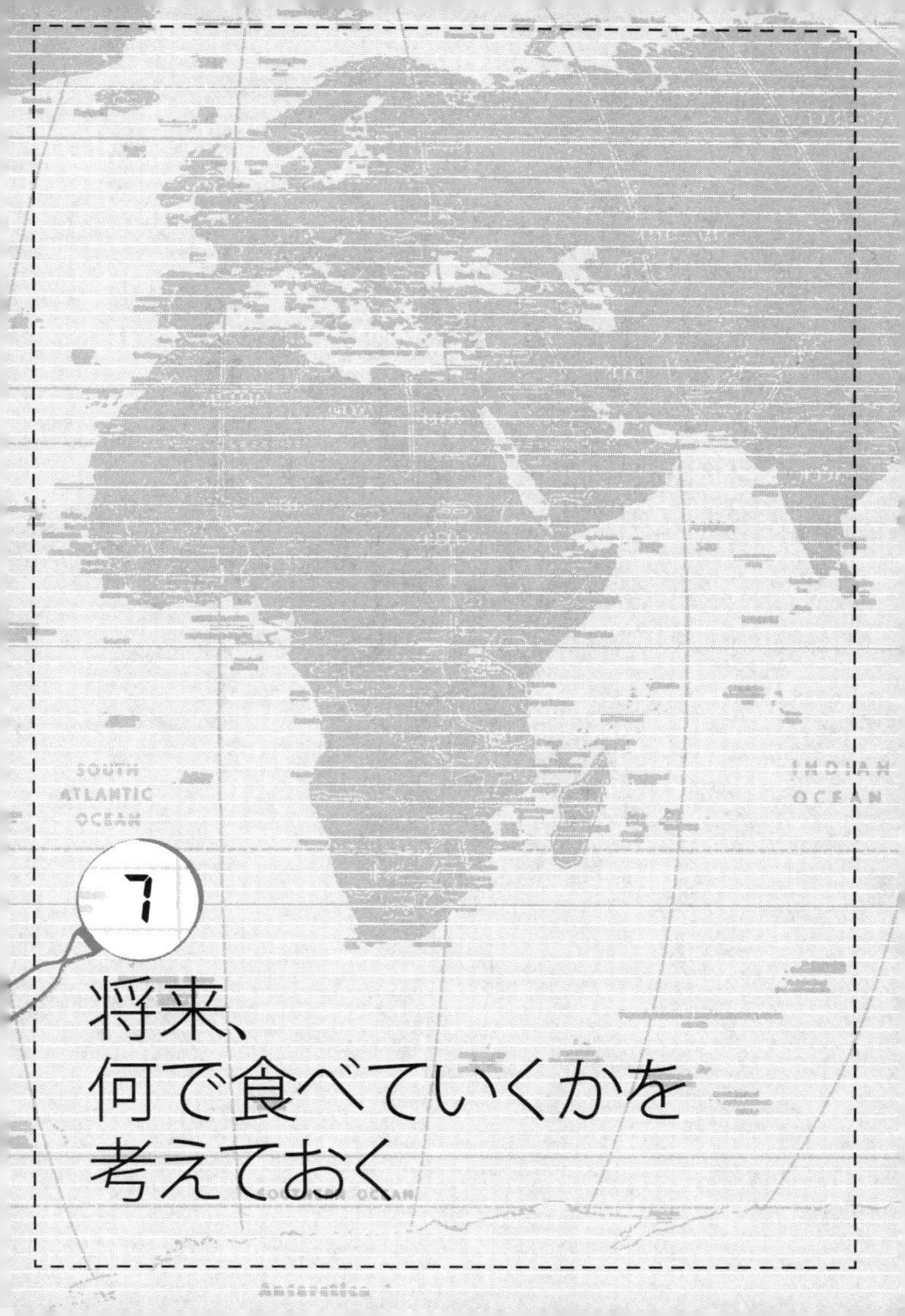

7

将来、何で食べていくかを考えておく

7 どんな職業に就《つ》きたいですか?

あなたは将来どういう仕事をやりたいのか、考えたことがありますか。

教師になりたい、弁護士になりたい、自分で起業したい、福祉《ふくし》関係に進みたい、公的機関で働きたい……おぼろげながら、自分の才能とか能力というものが見えてきて、進みたい道が具体的になってきた人もいるでしょう。

なかには、「まだ全然考えられない」という人もいるでしょう。

いずれにしても、いますぐに決めなくてもいいのです。

でも、自分が将来、どんなことをやりたいかを考える癖《くせ》をつけておくようにしましょう。おぼろげながらでも考えていれば、アンテナに引っかかります。

ある日突然、「これだ」というものがわかるときが来ます。

どんなときも、「こっちは嫌《いや》だな」とか、「こっちは楽しそうだな」ということを自分に正直に感じて、判断するようにしましょう。それが、あなたが行くべき方向に進むコツです。

世の中には、数え切れない種類の職業があります。

そんなことにもプロがあるのかという仕事も、たくさんあるわけです。

あなたが就きたいと思う職業は、おそらくいまのあなたが知っている範囲から選んだものでしょう。その範囲を広げられたら、あなたの職業の選択肢もそれだけ増えていきます。

社会人になってから初めて、ミュージカルの舞台を観たという女性がいました。とても感激して、もしも10代の頃に舞台を観ていたら、役者を目指していたかもしれないと言っていました。

世の中には自分の知らない職業がたくさんあるのです。そのことを知っておいてください。いますぐに就きたい職業がなくても、あなたの天職と言える仕事に出合える準備をしておきましょう。

7

いろいろな業種でアルバイトするのも面白い

アルバイトは、人生のサンプルを集めるのに、もっとも手っ取り早い方法です。職業というものには、本や情報からの知識やイメージだけではうかがい知れないところが多いからです。

アルバイトをすると、その現場に触《ふ》れることができます。

あなたが10代、20代のうちは、職場の人たちも本音を言ってくれるし、かわいがってもくれるでしょう。これはチャンスです。

高校生のときは難しいかもしれませんが、社会に出る前に、いろいろなアルバイトを経験しておくのは面白いと思います。

僕も大学時代、いろんなアルバイトをしました。それこそ、あらゆる業種を覗《のぞ》いてみたという感じです。

働いてみなければわからないことが、たくさんあります。最初のイメージとは全然違うということも、珍《めずら》しいことではありませんでした。

さまざまな仕事があることを知れば、それだけ職業の選択肢は増えると言いましたが、アルバイトは、それを実践で試せるようなものです。

そして、僕の経験では、その実践はとても楽しいものでした。

たとえば、ある会社でアルバイトしたときに、そこの仕事の進め方があまりにも能率《のうりつ》が悪いと思ったので、改善策を提案したことがありました。そんなことをするアルバイトはいないということで、重宝《ちょうほう》がられたものです。

僕は、社長のように考えるアルバイトがいてもいいだろうと思うのです。それこそ、腕の見せどころ、試しどころです。

正社員をびっくりさせるようなアルバイトになれたら、あなたは必ず、ビジネスで成功できるでしょう。

7 憧《あこが》れの人に弟子入りしよう

「こんな人になりたい」「この人のような生き方をしたい」と思う人が見つかったら、その人に弟子入りすることを計画しましょう。

自分が将来こういう職業に就きたいと思ったときに、その憧れの人の周辺にいてください。

このとき報酬は一切考えてはいけません。

そこにいること、その周辺にいて、その人のエネルギーに触れるということが報酬だからです。

「僕はそばにいさせてもらえるのが自分の報酬だと思っています」と言って、

僕も何人ものメンターに弟子入りしましたが、本当に、その人たちのそばにいることで、どれだけ学べたかわかりません。

けれども、そういう人たちは、無報酬で働く人間をきちんと評価します。僕が旅に出るというときに、餞別《せんべつ》と言って10万円をくれた人もいました。あとで考えてみれば、ほかのアルバイトの人たちより、結果的な時給はよかったかもしれません。

でも、あくまでも、それは期待してはいけません。

無報酬でもそばにいたいと思う人に、ぜひ弟子入りしてください。

ところで、弟子入りできる年齢の上限は、25歳だと考えておきましょう。

それを僕は19歳のときに初めて、あるメンターから聞きました。

「いろんなことを教えてもらえるのは、君が25歳までだよ」と言われて、正直ものすごく焦《あせ》りましたが、これは本当です。

25歳を過ぎたらふつうの大人として扱《あつか》われてしまうので、あなたの礼儀《れいぎ》がどうだとか、筋《すじ》が違うとかといったことは誰も教えてくれません。

25歳までが弟子入りの寿命《じゅみょう》だと思ってください。それまでだったら、どこに行ってもかわいがられる可能性があります。その権利を使えるうちに行使《こうし》してください。

この権利は、ほとんどの人たちが使わないのですが、それは、とてももったいないことだと思います。

25歳までの有効期限のあいだに、誰に弟子入りするのかで、あなたの人生は決まると言ってもいいでしょう。

では、誰に弟子入りして、何を学べばいいのかですが、あなたの興味のある分野で、将来やってみたいと思う仕事を実際にしている人を探しましょう。

自分が尊敬していたり、憧れている人のオフィスで、ボランティアスタッフでもいいから、周辺をウロウロすることです。

そこに流れている空気のようなものに触れるだけでも、新しい刺激《しげき》になるはずです。

7

小さい頃に好きだったことから、ライフワークを見つける

ライフワークとは、「お金をもらわなくてもいいくらい楽しい仕事」です。

将来、どんなことを仕事にしたいかを考えるときに、あなたが小さい頃から好きだったことを思い出すと、それがあなたのライフワークにつながる可能性があります。

10代も後半になると、小さい頃のことを忘れてしまっていることが多いようです。

あなたは小さいとき、どんなものに興味を持っていましたか。

いつも見ていたテレビや絵本はどんなものだったでしょうか。

誰と何をして遊ぶのが好きでしたか。

短い期間でも、何かに「はまっていた」ことはありませんか。


両親や祖父母、兄弟に、あなたが小さかったときのことを聞いてもいいかもしれません。幼なじみがいれば、会って昔話をしてみるのもいいでしょう。

小学校の卒業文集などを、久しぶりに開いてみると、新たな発見があるかもしれません。

「ああ、自分は絵を描《か》くのが好きだったんだ」

「小さい頃から、自分より年下の子の面倒をよく見ていたな」

「自分の髪や、人形の髪をいつも梳《と》かしていた」

「お母さんが料理するのを飽きずに見ていた」

「字も読めないのに、本をいつも開いていた」

そんな小さかった頃の記憶に、将来の自分のヒントが隠れています。

8

「思考と感情」が人生を動かしていると知る

8

あなたは、あなたが考えているような人間になる

僕たちは、習慣のままに生きています。習慣から逃れられる人はそう多くいません。そして、その習慣をコントロールしているのは、「思考と感情」です。

僕たちは、ふだん考えたり、感じることに影響されて生きているのです。

学生時代の成績も、大人になってからの仕事や経済状態、また恋愛がうまくいくかどうかも、あなたの思考が決めています。

あなたは、自分が考えているような人間になるのです。

いい成績を取りたいと思ったら、それに見合う勉強をするでしょう。そして、優秀であるということに心から満足し、その状態をキープするための努力を自然にするはずです。

成績がいい人は、「いい成績を取れて当然だ」と考えて勉強します。一方で、「いい成績が取れたらなあ」と漠然《ばくぜん》と考えて行動しない人は、現状のままです。

この法則は、将来大人になったときにも当てはまります。仕事ができる人は、質の高い仕事をするために、やれることはすべてやります。「自分はどんなときでも、ベストの結果を出す」という思考が、実績《じっせき》を生み出すのです。

思考が人生をつくっているメカニズムは世の中に知られてきたようですが、感情が人生に及《およ》ぼす影響に関しては、まだ、あまり知られていません。

感情の持つ力は、僕たちが考えているよりはるかに強力です。

なぜなら、人は無意識のうちに、内なる強い感情に動かされてしまうことがよくあるからです。あなたもふだん、感情を意識することはあまりないかもしれませんが、その影響力がすごいことを知っておくといいでしょう。

8 あなたの行動は「感情」にコントロールされている

感情は、自分の内面にある欲望とくっついて、理性では制御《せいぎょ》できないような暴発力《ぼうはつりょく》となって、人生を狂《くる》わせることがあります。

思考や感情について理解しておかなければならない理由は、知らないうちに自分が振りまわされている可能性があるからです。

たとえば、販売心理学や行動心理学の分野の研究には、何千億円というお金が投《とう》じられています。それは「感情」が、物を買ったり、行動したりするときのいちばん大きな動機になるということがわかっているからです。

コンビニのレジ前に、お菓子が置いてあるのはなぜか。美男美女《びなんびじょ》がシャンプーを使うイメージが、テレビや雑誌に出てくるのはなぜか。ディスカウントストアには、なぜテンポの早い音楽が流れているのか。

それには、すべて理由があります。

そのほうが、より人の購買《こうばい》意欲をそそるからです。それが、現代のマーケティングのしくみです。この世界には、「もっと物を買って消費する」ように仕向けるためのしかけが、そこら中に張りめぐらされているのです。

物を買う決断をするとき、ふつうは、「感情」で「これが欲しい」とまず決めます。そして、「思考」で「これは必要だ」というふうに、あとづけでもっともらしい理屈をくっつけて、それを買うことを決めます。

そのために、「感情的に欲しくさせる」ための、ありとあらゆる手法が開発されています。ですから、よほど意識的にあなたが注意していないと、うっかり欲しくもない物を買ってしまう羽目に陥《おちい》ります。

「気分をよくしたい」「カッコよくなりたい」「きれいになりたい」「仲間はず

れになりたくない」……そんな誰でもが持っている欲望と感情が結びついて、自分でも気がつかないうちに、それを解決することができそうな商品やサービスの売り込みに目が行ってしまうのです。

それだけ、感情は大切な要素なのだということを知っておきましょう。

人間関係やビジネス、政治も、結局は多くが「感情」で決まっています。

昔、政治家の周辺にいたとき、ふだんは、どんな人にも機嫌《きげん》よく対応している当時のメンターが、ある人には冷たく応対しているのを見て、「どうして、あの人はダメなんですか」と聞いたことがありました。

その答えは「あいつは好かん」という素っ気ないものでした。「そんなことで！」と思ったことがあります。

でも、考えてみたら、好き嫌いというのは実は大きくて、「あの店が好きだから行く」「嫌いだから行かない」「あの人は好きだから応援する」「あの人は嫌いだから応援しない」というのは、日常生活でもよくあることです。

8 大人になるにつれて感情は鈍《どん》化《か》していく

理性的に見える人も、実は、感情で動いています。また、相手にどんな感情を持たれるかによって、人生は生きやすくも、生きにくくもなります。

感情には、怒りや悲しみ、喜びなどがありますが、どんな感情もしっかり感じられる人は幸せです。

感情というと、喜びを感じられたら幸せで、怒りや悲しみを感じたら不幸と考える人がいますが、そうではありません。いい感情も悪い感情も、両方とも感じられる——感性が大切です。

この世界での不幸は、まわりに無関心になり、無感覚に陥ることです。

世界中の財宝《ざいほう》を集めても、それを喜べる感性がなければ、ないのと同じです。目の前のことやまわりの人に対して無関心になっていると、人生が無味乾燥《むみかんそう》なものになります。この世界は驚きに満ちた素晴らしい場所で、楽しいこと、面白いことがたくさんあるのに、それを楽しめなくなるからです。

そういう意味では、隣りにいる人の悲しみや喜びを共有《きょうゆう》できない、共感できない人が増えているのはとても残念なことです。

10代のあなたなら、まだいろいろ感じられるでしょうが、20代、30代になってくると、感覚が鈍《にぶ》って、自分にも他人にも無関心になってしまいます。

それは緩慢《かんまん》な死と同じです。ですから、自分の感情というものを殺さないように、心を鈍らせないように、ぜひ気をつけてください。

意識していないと、90パーセントの確率であなたも無関心、無感覚、無感動な人間になってしまいます。

人生がもたらしてくれるものは、プラスもマイナスもとことん楽しんでください。

8

自分の人生の問題を、親や社会への批判にすり替えない

自分が10代の頃、何を考え、感じていたかを思い返すと、そのほとんどが、怒りと悲しみと批判だったように思います。大人、社会、自分に対して、説明のつかない苛立《いらだ》ちを覚え、のんきな友人にイライラしていました。

僕自身がそうだったから思うことなのですが、批判的になるのは、自分に自信がないからです。テレビの番組などでも猛烈《もうれつ》に批判している人を見かけますが、よく見ると、すごく自信がない人です。

自信がある人は、人の批判をしません。批判からは何も生まれないからです。

どういうふうに問題を解決していけばいいかということを、俯瞰《ふかん》して見るので、前向きに物事を捉《とら》えて、そこから発言します。

もしもあなたが、部活の運営、学校のあり方、両親に対して批判的になっているのだとしたら、一度深呼吸して自分自身を見つめてください。ひょっとしたら、自分に自信がないために、そのはけ口として批判していないか、考えてみてください。

自分の反省も含めて思うことですが、イライラしているときには、何かを批判することでストレスを解消しようとする心理があるように思います。

「自分の考えは正しい」と思えれば、とりあえずは、自分にイライラしなくてすみます。親が悪いとなじったり、学校が間違っていると糾弾《きゅうだん》するのは簡単ですが、そこからは何も生まれないということを知ってください。

10代の頃は、考え方も言動も攻撃的になりがちです。

それはなぜかというと、自分が誰かを知るためには、いまの殻《から》を破らなければならないからです。

親という引力のある地球から大気圏《たいきけん》へ出るわけですから、当然反発力がいります。でも、その反発力の出どころがどこなのかもわかっておく必要があります。

9

何を学ぶかを考える

9

学校で学んだ80パーセントは役に立たない

あなたが学校の先生、大学教授、医師、エンジニアなどにならないのであれば、いま学んでいることは、将来ほとんど役に立たない可能性があります。あなたも、うすうす気づいているかもしれません。

あるセミナーで、学生時代の勉強が役に立ったかどうかを、参加者に聞いたことがあります。「学校で教わったことが、いまの仕事に不可欠《ふかけつ》だという人はいますか」という問いに、手を挙げた人は10パーセントほどでした。

もちろん、学校の勉強をベースに知識を積み上げる仕事もあるので、全員とは言いませんが、学校での勉強は、ほとんどの人にとって、あまり役に立たないかもしれないと知っておいたほうがいいと思います。

なぜなら、あなたが受けた教育は、もともと明治政府が考え、その後何度も修正されてできたカリキュラムに則《のっと》っているからです。

「学び」というのは、「知恵」と「知識」と「スキル」の3つに分けられます。

学校で教わるのは、「知識」が多く、いまではほとんどがグーグルで検索すればすむものです。いまの勉強はただ記憶力のトレーニングなのです。

「こんな勉強をして意味があるんだろうか」と感じることがあるかもしれませんが、はっきり言ってしまえば、意味はあまりないと僕は思います。意味がない勉強を何も考えずにやるトレーニングが、いまの教育の本質です。

それは、工場長や軍隊の命令に背《そむ》かず、我慢して作業に没頭《ぼっとう》できる人を大量生産するという、明治政府の意図《いと》にさかのぼります。

しかし、大学に行こうと思ったら、受験は通らなければなりません。

あなたが大学に行くことに意味を見出すなら、頑張って、受験を乗り切ってください。僕も、受験をして大学に行きました。大学受験はともかく、大学に行って楽しいことはたくさんありました。

9 人生で大切なものは採点できない

あなたがしている勉強は、「学校が点数で管理しやすい知性」に偏《かたよ》っています。
「知性」は一般的に次の7種類に分けられると言われています。

（1）言語的知性
（2）論理数学的知性
（3）空間的知性
（4）身体的運動知性
（5）音楽的知性
（6）対人知性
（7）心内知性

（1）と（2）は、いまの「学力」に相当《そうとう》するものです。（3）は芸術家、建築家、（4）はスポーツ選手、（5）は作曲家やミュージシャン、（6）はリーダーシップ、（7）は共感力に発揮《はっき》されます。

いまの学校教育は、右に挙げた7つに対応できていません。したがって評価されるのは、（1）と（2）だけであって、そのほかの知性がいかに優《すぐ》れていても、成績がよいというふうにはならない。その意味で、偏った評価だと言えるのです。だから、学校の評価が低いからといって気にしないでください。また高いからといって、安心しないようにしてください。

なぜ、このような評価基準を採用《さいよう》しているかといえば、そのほうが、誰が先生になっても客観的に評価しやすいからです。

芸術に点数をつけるのは難しいけれども、何かを覚えて、それを正確に再現できるかというのはわかりやすい。つまり、採点に向いているものしか評価の対象になっていないだけなのです。けれども、あなたも想像できるように、人生で大切な多くのものは、採点できません。

9

知識よりも、知恵とスキルを身につけよう

学校での勉強はあまり将来に関係ないということを話しましたが、では何をやったら役に立つのかという話をしましょう。

あなたが理系文系を選んだり、高校や大学の進路を選ぶときには、「何を学びたいのか」ということで決めていると思います。実際に、何を学んだかで人生は決まってきます。

会計を学んだ人は会計の分野で、医療を学んだ人は医療現場で、そして、料理を学んだ人は料理の世界で活躍できるのです。

あなたが10代、20代に何を身につけるのかで、あなたの人生が決まっていきます。学校が用意した科目だけを学ぶだけでは、役には立たないかもしれませ

ん。人間として生きていくうえで基本となる大切な事柄《ことがら》とともに、将来就きたい職業に必要なものを、いまから学びはじめるといいでしょう。

あなたが本当に学ばなければならないのは、知恵とスキルです。

基本的な知識さえあれば、あとは調べれば、たいていの情報を得ることができますが、その集積《しゅうせき》が知恵です。

大事なのは、さまざまな場面でどう判断するかという知恵です。

これは未《いま》だに、コンピュータに置き換えることはできないものです。

また、スキルも、どこかの時点で習得《しゅうとく》しておくといいでしょう。

たとえば整理整頓《せいりせいとん》、情報収集、速読などのスキルは、身につけるか身につけないかで、その後の人生で大きな差が出てきます。

スキルは、学びさえすればよいものなので、できれば10代のうちに身につけておくといいと思います。

速読を習得したり、自分の思考法をまとめてみたりというのは、とても大事な部分です。本屋さんに行くと、フォトリーディングやマインドマップなど、さまざまな便利なツールが紹介された本がならんでいます。そういった最先端《さいせんたん》のスキルは、トップビジネスマンなどにとっては当たり前でも、学校のカリキュラムに入ってくるのは、まだ10年以上先のことでしょう。

僕は、幸せな人生に必要なのは、次に挙げる12科目だと思います。

健康、人間関係、心理学、発想法、時間管理、人脈術、金銭管理、ビジネス、目標達成術、整理整頓術、速読術、情報処理術——これらのほとんどは、学校では教わらないものなので、自分で学習していくしかありません。これらは本やセミナーなどでしか、学ぶことができません。

セミナーというと高額な感じがするかもしれませんが、人生で役に立つという意味では、学校の教育よりもはるかに優れていると思います。

9

誰から学ぶかで運命は決まる

何を学ぶかも大事ですが、誰から学ぶかによっても、後々大きな差が出ます。

一流の人から学ぶと一流になれるし、二流から学ぶと二流になってしまう。

学習法としても、「対話で学ぶ」というのは、いちばん心に残る方法です。

本やインターネットから学ぶより、人とのやりとりで学んだほうが、はるかに身につきます。不思議ですが、これは僕の実感です。

あなたにも、社会の先生が好きだったから社会が好きになった、英語の先生がカッコよかったから英語が好きになったということがありませんか。

「この人から学びたいな」と感じる憧れの人から学ぶのが、学びを上手に進める秘訣です。

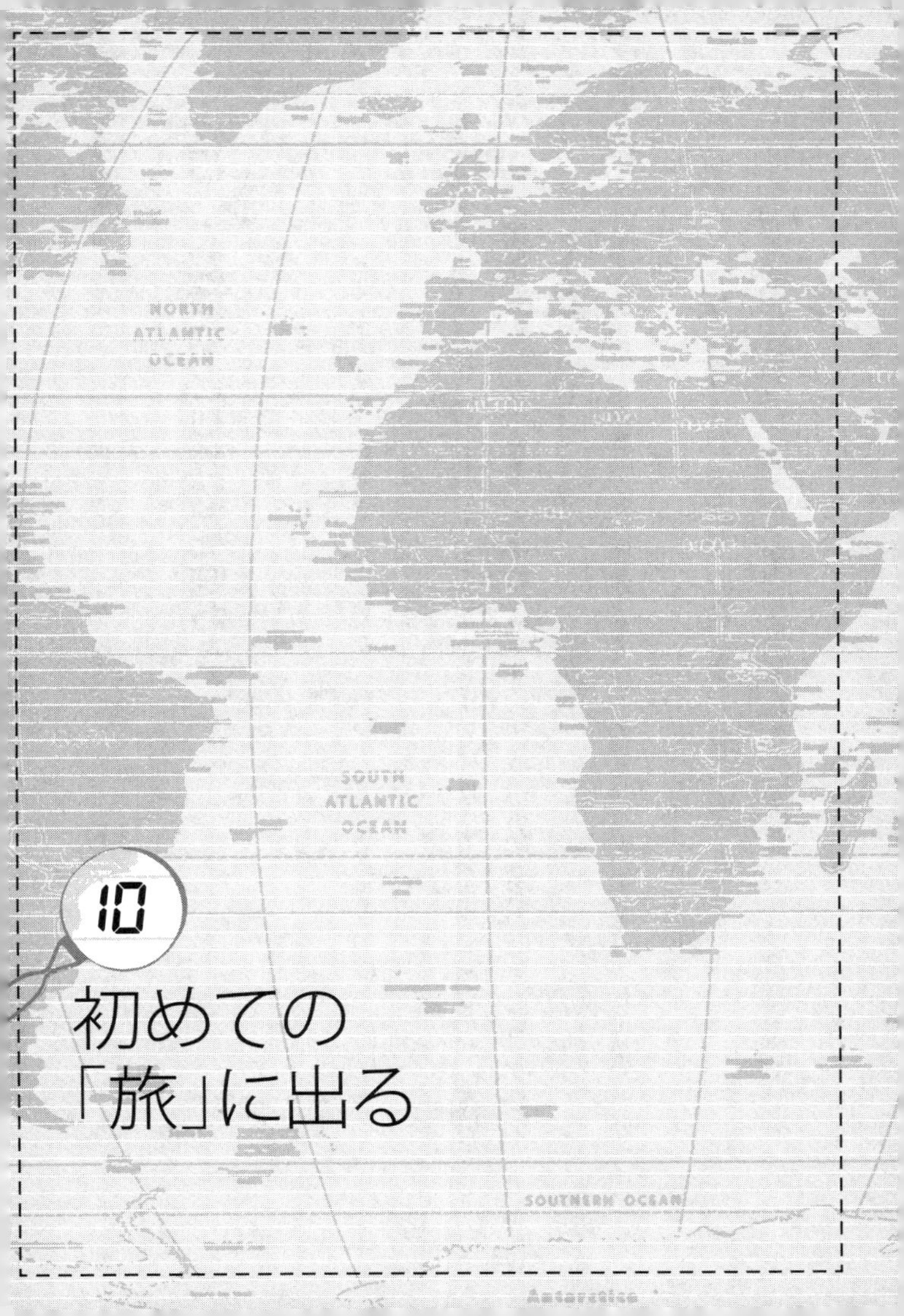
NORTH
ATLANTIC
OCEAN
SOUTH
ATLANTIC
OCEAN
SOUTHERN OCEAN
Antarctica

10

初めての「旅」に出る

10

解放感と孤独感を味わう

多くの人が10代のときにやっておいたらよかったと言うのは、「旅に出る」ことです。

10代のときは、どんな人もごく小さな世界に住んでいます。あなたがいる場所は、学校、塾、自宅……それ以外では、親戚の家か近所のショッピングセンターくらいでしょう。

さすがに、小学生で一人旅をするというのは難しいかもしれませんが、自分が知らないところを一人で歩いてみたときのドキドキやワクワクは、ふだんの「いつもの場所」からは決して得られないものです。

意識していないでしょうが、10代のあなたは、両親や家族、友達や先生、あなたが住んでいる地域の大人たちに、守られています。

ときには、息が詰《つ》まるようなことがあったとしても、そこが安全であることには変わりがありません。あなたのまわりの人たちは、あなたのことを知っているし、あなたも、あなたのまわりの人たちを知っています。


旅のいいところは、自分を知っている人がいない世界を味わえることです。

僕は19歳で初めて、海外一人旅を経験しましたが、「半径数千キロ以内に誰も知り合いがいない！」ということに、言葉では表せないほどの解放感を味わいました。でも、同時にすごく不安にもなりました。自分がこのまま野たれ死んでも、パスポートがなければ、誰も僕だとわからないからです。

いまなら、すかさず携帯電話を取り出して、アンテナが立っているかを確認するところでしょうが、当時は携帯電話もありません。誰も自分の居場所を知らないし、たった一人なんだという状態ほど心細いものはないと思いました。でも、その心細さが、「生きている！」という実感を生みました。

10

知らない場所で親切を受ける素晴らしさ

旅先で、見ず知らずの人と会話したり、親切にしてもらったりというのは、旅の醍醐味《だいごみ》です。

海外であれば、自分のつたない外国語が通じただけでうれしくなりますし、それだけで少し大人になったような気分になります。

もちろん、旅には危険なこともたくさんあります。世の中には、いい人ばかりではないことを知るのも、旅を通して知ることの一つでしょう。

あるとき、僕はニューヨークで全財産を盗《と》られたことがありました。後ろから、何語かわからない言葉で話しかけられて、振り向いた瞬間、地面に置いていたカバンを盗まれたのです。ケガをするようなことがなかったのは不幸中の幸《さいわ》いと言えますが、僕には電車賃さえなく、たった一人で犯罪だらけの街に放り出されてしまったわけです。

呆然《ぼうぜん》としながらも、しかたなく歩き出しましたが、だんだんと辺《あた》りが暗くなってきます。すると、通りすがりの人に、「ここは危ないよ」と注意されました。

そうなんです、ここはニューヨーク。日本人は海外に行くと若く見られますが、たぶん、その人は僕のことを高校生くらいに思ったのかもしれません。当時、犯罪の多いニューヨークでは、10代の少年が一人で、日が暮れた街を歩いていることはありませんでした。

その人は、見ず知らずの僕を心配して、声をかけてくれたわけです。僕は全財産を盗られて、電車賃もないことを説明しました。すると、その人は僕にお金をくれて、気をつけて帰るようにと言ってくれました。このときほど、人の温《あたた》かさを感じたことはありませんでした。

「旅に出る」と、たくさんの楽しいこと、面白いことに出合える半面、危険な目にも遭《あ》います。その点は、十分、注意してください。

でも、考えてみると、それは「旅」だけにかぎりません。「人生」そのものにも当てはまると思います。

また、思い切って旅に出たおかげで、あのニューヨークで声をかけてもらったときのように、人の温かさに触れるような体験をたくさんしました。

初対面の人に食事をごちそうになったり、その人の家に泊めてもらったりということも何度もありました。見ず知らずの僕を信頼して、自宅にまで招いてもらえた体験は、自分への大きな自信になりました。

また、世の中には、素晴らしい人がたくさんいるし、大半の人は親切なのだということも知りました。

そうした考えを持てたこと——それが僕のかけがえのない財産であることは言うまでもありません。

10

冒険できるのは10代の特権

いつもは朝寝坊なのに、旅行にいくと早く起きてしまうことはありませんか。

旅に出ると、より活動的な自分になれるという効果があります。

旅行となれば、ガイドブックを見て、ここに行きたい、あそこも見てこよう……と計画はふくらみます。その国や街の歴史に触れる機会も多いでしょう。

そこで見聞きしたことで、思わぬ「自分の好きなこと」に出合えることもあります。


10代の特徴は、とにかく自分のなかにエネルギーがたまっていることです。

それは生命力エネルギーが活発な時期だからなのですが、それを上手に発散《はっさん》しないと、ときに暴力的になったり、批判的になったり、自分のなかにイライラをため込むことになったりします。

怒りのエネルギーというものとうまくつきあうのも大事ですが、自分のなかにある爆発的な生命力エネルギーを上手に消化すること、それを心がけるようにしてください。

そうしたエネルギーはスポーツなどでも発散できますが、旅をすることには、それ以上の精神面での効果があると思います。

なにも遠くに行くことが「旅」ではありません。自転車で、隣町に行くことも、小さな冒険です。

冒険できることは、10代の特権です。

成功する人にはエネルギーがたくさんありますが、過剰《かじょう》な人は人に嫌われるので、それをうまく自分で整理することが大事です。自分のエネルギーを上手に発散させながら、エネルギーレベルを上げていきましょう。

11

一生つきあえる親友を見つける

11

友達の多くはあなたの幸せを本当には願っていない

あなたは、友達なら自分の幸せを願ってくれるべきだと思っているかもしれません。しかし、人間の心はそういうふうにできていません。

よほど感情的にバランスが取れていないと、他人の幸せは素直に喜べないものです。友人がうまくいくと、それを見て落ち込んだり、嫉妬《しっと》したり、自分に罪悪感を持ったりすることのほうが多いのではないでしょうか。10代のように多感《たかん》な時期は、特に友達の幸せを願うのは、難しいと思います。

なので、何かいいことがあったときに、いまの友達が一緒に喜んでくれなくても、必要以上にショックを受けないことです。

もちろん、なかには本当に素晴らしい人もいます。

もしもあなたの友達が、あなたの成功を心から喜んでくれたとしたら、その人は一生の宝だと思って、つきあっていくといいでしょう。

「友達だから私のことを大事にしてくれるはず」「やさしくしてくれるだろう」と考えていると、あとで裏切られたような気持ちになることがあるかもしれません。

10代は、自分のことに精いっぱいで、余裕がない時代です。

その意味でも、「友達だから○○してくれる」ということはあり得ないのだというふうに目線を下げないと、イライラしたり、裏切られたと感じるようになってしまいます。あなたにも、思い当たる節《ふし》があるでしょう。

中学、高校、大学で親友に会う確率は10パーセントだと思ってください。

これは大人のアンケート調査でわかったことです。

中高時代に本当の親友に出会う人たちは稀《まれ》なのです。逆にいえば、少しでもそういう可能性がある人とは、大切に友情を育《はぐく》んでください。

11
バカな決断をして後悔するのは、あなた自身だ！

10代の失敗の多くは、友達からのプレッシャーに負けて起きています。

でも、バカな行動をして後悔するのは、あなた自身です。

ここでちょっと、僕自身の恥ずかしい過去のエピソードをお話ししましょう。

僕の10代最大の失敗は、なんといっても、修学旅行にいって、女湯を覗きにいこうとして捕《つか》まったことです。正確には、捕まったわけではありません。もっと正確にいえば、その行為《こうい》自体は未遂《みすい》で、何も見ていません。いや、見えなかったというほうが正しいでしょう。

真相《しんそう》は、こうです。

修学旅行でハイになったクラスメートから、これから女湯を覗きにいこうと、しつこく誘われました。「おまえはどうせ真面目《まじめ》だから、行く度胸《どきょう》がないんだろう」という挑発《ちょうはつ》にのって、10人ぐらいで女湯を覗きにいったのです。でも、窓は僕たちの身長よりも1メートル以上も高いところにあって、どれだけ頑張っても、結局何も見えず、窓の下でただピョンピョン跳《は》ねただけでした。

そして次の日。女湯を覗こうとしたバカなやつがいたという噂《うわさ》が広まり、当時潔さを大切にしていた僕は、「はい、僕が行きました」と名乗り出ました。

まったく、いま思い返しても本当にバカなことをしたと思います。当時、不快な思いをさせた女性たちにも申し訳ないし、そのときは自分を殴《なぐ》りつけてやりたいような気分にもなりましたが、それもこれも、友達のプレッシャーに負けた自分が悪いのです。

なんとなく盛り上がって、つい、ついていってしまったわけですが、10代の頃に似たような経験を持つ人は少なくないかもしれません。自分がそれを言い出したわけではないので、責任がない感じがしてしまったのです。

あとになれば笑い話ですむこともありますが、でも、こういうことが、実際の犯罪に結びつかないともかぎりません。

そのときには、「友達についていった」といっても誰も弁護してくれません。

もしも犯罪に関わってしまったら、それは大人になっても、一生ついてまわります。

多くの犯罪者が、「いちばん後悔しているのは、まわりのプレッシャーに負けて、犯罪を起こしてしまったことだ」と言っていることからもわかります。

行動の結果責任を取らなければならないのは、あなたです。

「勇気を試すために、みんなで万引きしよう」というような話になったとき、あなただけが行かないわけにはいかないというプレッシャーを感じるでしょう。その力は、想像以上に大きいと思います。

しかし、最終的に、その行為の責任は、あなたが取らなければならないことを忘れないでください。

11 友達も先生も、正解を知っているわけではない

「将来の進路」や「自分のやりたいこと」を考えたときに、友人や先生に相談することがあるかもしれません。しかし、彼らは、あなたが考えているほどには、「あなたの人生」を考えていないものです。なんとなく常識を振りまわすだけで、それをあなたに、当てはめようとしている可能性が大です。

彼らは、「正解」を知っているわけではありません。

なんとなく、これが正解なんじゃないかと思っていること、感じていることをあなたに言っているだけかもしれません。

心理学の法則で、人は近くの人に影響されやすいというものがあります。

あなたにとって、毎日会ういまの友達や先生の存在は大きなものでしょう。けれども、40代の人に、「中学高校時代の同級生とどれだけ会っているか」という質問をすると、ほとんどの人が、「いまは、年賀状を交わすだけの間柄《あいだがら》になっている」と答える人がほとんどです。

いまのあなたにとっては世界のすべてのように思える人たち――トイレも一緒に行ったり、ランチも夕食も部活も一緒という友人たちでも、10年後には、ほとんど会わなくなる可能性があります。そんな、将来はまったく縁がなくなるかもしれないような人たちに、人生を振りまわされていいはずがありません。

人は、小さなケンカやトラブルがあったとしても、自分と一緒にいる人たちの言うことは正しいと思ってしまうものです。

これは「多数決《たすうけつ》の法則」で、「みんな」があなたに反対しているときには、「みんな」のほうが正しいように感じてしまうのです。

でも、あなたのほうが正しいこともあるのです。あなたに見えることが、まわりの人たちには見えていない可能性もあるのだと考えてみましょう。

11

命をかけても、その友達を信頼できますか

「今度、ナイアガラの上を綱渡《つなわた》りすることにしたから、当日、僕の背中に乗ってくれない？」

ある日突然、友達からこんな話を持ちかけられたら、あなたはどうしますか？

ナイアガラとは、あの有名なナイアガラの滝。地上数十メートルのところに綱を張って渡ろうというのです。しかも、友達である自分を背負って⁉

これは実際にあった話で、その日、綱渡りの達人がナイアガラを渡るというので５０００人の人が集まりました。

綱渡りの達人は見事、ナイアガラの綱渡りに成功するのですが、最後に、観

客に向かって、「私が人を背負って渡れると信じる人はいますか」と聞きます。観客は大きな拍手で信じていることを示しますが、さらに彼は聞きました。

「では、私の背中に乗りたい人はいますか」

この質問に、その場はシーンとなり、誰ひとり拍手を送る人はいません。しかし、ついに彼の親友が名乗りを挙げます。


本当の友達とは、自分の命をかけても、あなたのことを信じられる人です。

その綱渡りの達人は、親友を背負って、見事、ナイアガラを渡り切りました。彼の親友は、背負われてナイアガラを渡った初めての人となりました。

「おまえならできるよ」

「絶対にうまくいくと信じているよ」

そう口で言うだけなら簡単です。

心から信頼できる友達を得た人は、それだけで心豊かな人生を約束されたようなものです。

NORTH ATLANTIC OCEAN
SOUTH ATLANTIC OCEAN
SOUTHERN OCEAN
SOUTHERN OCEAN

12

恋をする

12 誰かを好きになるのは素晴らしいこと

恋をするというのはとても自然なことです。

「この人が好きだ」という感情は、それだけで情熱を与えてくれ、「ふだんの日常」を華《はな》やかなものにしてくれます。

学校で、「あの人」に会えると思っただけで、つまらない授業も待ち遠しい……という感覚です。

あなたはもう、その感覚を経験しましたか？

もしも、まだ経験していないとしたら、ぜひ、そのチャンスを逃さないでほしいと思います。

なぜなら、10代には、恋をするチャンスがいっぱいあるからです。

恋をするというのは、理屈ではありません。

だから、「あの人が好きだと言ってくれたから、つきあっている」というだけでは、もしかしたら、それは「恋」ではないかもしれません。

その人が、そこに存在してくれるだけで、生きていてよかったと思う。この人のそばにいられるだけで、幸せだと思う。それが恋です。

人生のモチベーションをもっとも上げてくれるのが、恋愛感情です。

恋をした途端《とたん》に、急に勉強に部活に頑張りはじめた友達はいませんか。

彼、または彼女は、いい恋に出合ったのです。


恋をすると、毎日が楽しくなります。

好きな人と一緒の空間にいられることに、いままで経験したことがないような喜びを感じられます。

大嫌いなお父さんや先生の存在さえ、許せるくらい寛大にも、きっとなれます。

10代では、そんな恋をしてほしいと思います。

12

自分が自分でなくなる体験を持つ

ふだん冷静だった人が恋をしてから、なにかソワソワしたり、急に怒り出したりと、まるで人が変わったようになることがあります。

本人も、いつもと違う自分を体感しているはずです。

どうして、勉強が手につかないのだろう？

携帯電話のメールチェックをしたばかりなのに、またチェックしている？

朝出会う人みんな（知らない人も含めて）に、「おはよう」と言ってしまう？

いつもと同じようにお母さんが買ってきてくれた服が気に入らない？

そう、恋をすると自分が自分でなくなります。

恋愛のエネルギーは、いったんオンになったら、人格を変えてしまうくらいのパワーがあるのです。それはプラスにもマイナスにもはたらきます。

相手の気持ちに振りまわされて、勉強や部活がおろそかになったり、親しくしていた友達と疎遠《そえん》になるということもあります。

逆に、好きな人に追いつこうと頑張って、成績が上がったりすることもあります。

あなたの両親は、そんなあなたをハラハラして見ているので、ときに、いままで以上に口うるさくなったりするでしょう。それに、あなたもイライラするかもしれません。

でも、それは、あなたのまわりの大人たちが全員、体験してきたことです。

いろいろと感情的なやりとりはあるでしょうが、そんな恋愛のエネルギーに突き動かされる自分を、楽しんでください。

12

恋愛にはイエスかノーしかないことを知る

いままで部活でも勉強でも、頑張ったら頑張っただけの結果は出たと思います。けれども恋愛は、頑張っても結果が出ないという珍しいものです。そして、恋愛にはイエスかノーかしかありません。

相手のことが好きでも、向こうが嫌いな場合は、恋愛は成立しません。

だから、あなたがどれだけカッコよくても、かわいくても、相手に「嫌い」と言われたら、それで終わりなのです。

あなたがどれだけ頑張ってもダメです。これは残酷《ざんこく》な現実です。

もしも恋をしたら——頑張ったからといって報われない「大人の世界へようこそ」です。

たとえ相手が、一度は「好きだ」と言ってくれたとしても、それが永遠に続かないのが、「恋愛」です。

どんなに努力しても、相手の気持ちがノーになったら、あきらめるしかありません。もちろん、再挑戦することはできますが、結果はわかりません。

「あなたよりも、あなたの親友の○○さんがいい」ということだって、あり得ないことではありません。というより、10代の世界は狭いので、それはよくあることと言ってもいいほどです。実際に僕の友人で、親友に彼女をとられた人がいます。当事者にとって、その現実は過酷《かこく》以外のなにものでもありません。

相手のことも、親友のことも許せない気持ちになるでしょう。でも、それはしかたのないことです。人生には、「許せないこともある」のです。

「頑張るから」「悪いところを直すから」と言っても、相手をつなぎ止められないのが恋だし、それでつなぎ止めたとしても、結局は、一時のものであることに変わりありません。

12 自分はまだまだ子どもだと知る

この章の最後に、少しだけ長く生きている立場から話したいことがあります。

それは、10代の恋愛で、20代以降の人生を台無しにしないということです。

気をつけたいのが、自分も相手も長く傷つく体験です。

たとえば相手とどれだけ深い関係を持つのか。一時の盛り上がりで、一生の影響を被《こうむ》るような決断もそこにはあるからです。

自分は大人だと思っているかもしれませんが、あなたが10代のうちはまだまだ子どもです。

たぶんこんなふうに言われただけで本を閉じたくなる人もいるかもしれませんが、これは事実です。

なぜなら「大人」の定義は、経済的にも精神的にも感情的にも自立することですが、10代のあなたは、まだおそらく経済的にも精神的にも感情的にも自立していないからです。

だから少なくとも、まず経済的に自立することができなければ、本当の恋愛はできません。

英語で「Puppy Love」という言葉がありますが、文字どおり、子犬のようにはしゃぐ恋愛です。いまは恋愛といっても、まだその程度なのだということを頭のどこかで知っておきましょう。

10代で妊娠《にんしん》して進学をあきらめたという人もいます。もちろん、それが悪いということではありません。人生には、不正解というものはありません。

けれども、10代で妊娠すれば、その後の人生が大きく制限されるのは確かです。そのことを忘れないこと。そして、恋をしてどんなに盛り上がっても、自分のなかの一線というものを持っておいてほしいと思います。

13 外国語を習う

13

日本語を話すと日本語に制限される

日本語では、ご存じのとおり、最後に述語が来ます。

僕は学生時代に、英語と日本語の同時通訳をやっていましたが、そのときには、この文法の違いのせいで、何度も苦労しました。

日本人の政治家は、最後に結論を言います。アメリカで演説するようなときにも、延々《えんえん》と、「私はアメリカに来て……、……、…………して、…………なので、……して…………なので、アメリカの国は大好きなのであります」というような話し方をします。

最後まで聞かないと通訳できないので、やたらと一文章が長い人のときには閉口《へいこう》しました。聴衆《ちょうしゅう》は、なかなか話しはじめない、この通訳さんは大丈夫かという感じで見るからです。

日本人は最後に結論を言うので、交渉《こうしょう》している相手の顔色を見ながら、最後の動詞のところで結論を変えることもしょっちゅうです。

国際的な基準からすると、そのコミュニケーションスタイルではあまり評価されないでしょう。しかし、土壇場《どたんば》で結論を変えてもいい日本語では、このコミュニケーションスタイルでOKなのです。

ヨーロッパ系の言語、そして英語は、イエスかノーを先に言って、「なぜならば」ということを言わなければなりません。中国語もそうです。相手の顔色を見ながら、イエスかノーかを保留《ほりゅう》することはできません。

言語は、思考にも影響します。僕たちは、日本語を話しているせいで、相手の雰囲気を見たり、まわりの空気を読んだりしながら、自分の考え方や生き方まで変えてしまう、世界的に見れば不思議な民族なのです。

その柔軟性《じゅうなんせい》は素晴らしいと思います。でも、裏を返せば、その優柔不断《ゆうじゅうふだん》さが、あなたの人生を傷つける可能性があります。日本語で話すというだけで、あなたは制限されているということをわかっておいてください。

世界には70の言語があると言われていますが、そのなかで日本語はマイナーな言語であり、僕たちはマイナーな文化のなかで生きているということを理解しておきましょう。

だからといって、英語と中国語を勉強して世界に羽ばたけとは、僕は言いません。なぜなら、幸せに生きていくという意味では、日本にいる1億人を相手にビジネスをして、十分にやっていくことができるからです。

国内に住み、自分の大好きな仕事をして、日本語を話す200人の人からお金をもらいつづければ、一生食べていくこともできます。

だから外国は合わないと思う人は、外国語のことは、さっぱりとあきらめて、自分の好きなことを追究《ついきゅう》しましょう。

個人的には、日本は素晴らしい国だと思っています。日本人の細やかさを体験すると、海外のいいかげんなサービスには耐えられなくなります。

13 外国語を学んだからといって幸せになれるわけじゃない

「カッコいい……」

外国人とペラペラ話している人を見て、いつも憧れていました。

だから、友人の一人が帰国子女《きこくしじょ》だと知ったときには、本当に羨《うらや》ましかった。

どうして、自分はそんな環境に生まれなかったのかと思ったものです。

でも、その友人と親しくなるにつれて、その羨ましさは、なくなっていきました。むしろ、「彼も大変なんだ」と思うようになりました。

彼の日本語は、どこか外国人が話すような日本語でした。漢字もよく書けない。そして、英語も、完璧《かんぺき》とは言えなかったのです。

二ヵ国語を話せても、どちらもしっかりしていなければ、日本語を操《あやつ》る職業、または英語を操る職業には不向きです。

観光するには問題がなくても、通訳として、またビジネスの現場ではどうかといえば、それでは通用しないということがあるのです。

ただ英語を話せるというだけでは、自分の武器にはならないわけです。

いちばん大事なのは、母国語の日本語をしっかり操れるようになることです。外国人だけを相手にする仕事を選ぶのでなければ、日本語で自分の言いたいことを的確に言える表現力を身につけたほうが、日本語も中途半端《ちゅうとはんぱ》、英語も中途半端というよりは、ずっと活躍の場が広がります。

いまの若い人の敬語はなっていないと言われますが、僕たちが10代、20代のときにも同じような言われ方をしました。平安時代の書物《しょもつ》にも、「いまどきの若者はなっていない」という内容の記述《きじゅつ》があるそうですから、どの時代も同じなのでしょう。ともあれ、英語を学ぶのと同じくらいに、日本語の敬語を学ぶ価値はあるのではないかと思います。

13

1週間でもいいから外国で暮らしてみよう

僕が初めて海外に行ったのは19歳のときでした。

17歳のときに行きたいと思ってから2年間行くことができませんでした。

家庭の事情で行けなかったということもあるし、チャンスが何回かあっても、それをつかむことが、ちょっと怖かったということもありました。

でも、20歳までには必ず行こうと決めていたので、ギリギリ19歳のときに行ったわけですが、そのことで僕の人生は大きく変わりました。

海外に行ったことで、世界にはいろいろな人たちがいるということを実感しました。いろいろな人がいて、いろいろな生き方があることを知ったのです。

日本では、「こうでなければならない」というものにがんじがらめになっていましたから、「そんなことは、どうでもいいことだよ」という人に触れて、非常にショックを受けました。たとえば、「就職なんてしないほうがいいよ」と、気軽に言われて、それまでの常識がたたき壊された感じがしました。

そして、「自分はどう生きたいのか」ということを、あらためて考えはじめるきっかけをもらったのです。

たった1週間の旅行で、人生が大きく変わる気づきを得ることがあります。ぜひ、10代のうちに、違った文化に触れる機会をつくってください。

僕たちが10代の頃には、海外旅行をするのは大変でした。円は、いまでは信じられないくらい安かったし、航空運賃《うんちん》も高かった。クレジットカードも、いまほどには普及《ふきゅう》していませんでした。

いまは、国内を旅するように、海外に行くことができます。場所によっては、国内旅行よりも海外のほうが安いということもあるでしょう。

行こうとさえ思えば、数日海外に行くことは、それほど難しいことではありません。チャンスは自分でつくってください。

13 外国人の友人を持つ

僕たちが中高生の頃、「ペンパル」という海外の同世代の学生と文通することが流行《はや》りました。

いまでも、やっている人がいるかもしれません。手紙を通じて、お互いの近況や考えを語り合うことには、とても刺激を受けます。

僕は当時、スウェーデンの女の子と文通していたのですが、まるで初恋の人であるかのように、彼女からの手紙を待ちわびていました。

お互いに英語で書くので、たぶん、どちらも相手が何を言っているのかわからなかったと思いますが、世界とつながっている感じがしました。また、それだけで自分が国際人になったような気持ちになりました。

いまはインターネットでも、そうした体験を持てるようになりました。

また旅先で知り合った人とメル友になったり、Twitterでフォローし合ったりということも、いまでは珍しいことではありません。

それくらいに、海外の人とつながるツールは、いろいろと用意されています。

こんな時代に「一人鎖国《さこく》」にならないように、ぜひ、海外の人たちとつながってください。

外国語を話す友人ができると、自分の人生の制限がはずれていきます。仕事、お金など、いろんな面で、僕たちが当たり前だと思っていることが、別の国では正反対だったりするのです。

そうやって違ったものの考え方に触れると、あなたはそれまでの自分から自由になれます。

14

一生を左右する本や映画と出合う

14

人生を変えるきっかけ

人生を変えるきっかけは、たいてい3つです。

自分の人生で何かショックなことが起きるか、あるいは素晴らしい人と出会うか、素晴らしい本や映画と出合うか。

「人生でもっとも励まされたと感じたときは？」と聞かれたことがありました。思い返してみると、友人や先輩のアドバイスよりも、いい本や映画に出合うほうがセラピー効果は高かったように思います。

10代でしておきたいことは、そんな本や映画に、できるだけ多く触れておくことです。

そのときの感動を心にストックしておきましょう。思いがけない場面で、その体験があなたを助けてくれるはずです。

つらいとき、困ったときに、ふと、あの映画の主人公も、こんな気持ちだったのではないかと思うことがあります。

そして、その後のストーリーを思い出して、慰《なぐさ》められたり、励《はげ》まされたりします。僕自身、そんなことがいままでにたくさんありました。

ときに、問題を切り抜けるヒントさえ、そこから学ぶこともあります。

でも、そんなことは関係なく、たくさんのいい本、いい映画に出合ってほしいと思います。

大人になると、効果や利益を期待したうえでの行動が多くなります。「それ以外のことにかまけている時間はない」と大人たちは言うかもしれませんが、利益だけを目的とする行為は、空《むな》しいものです。

確たる目的がなくても、ただ楽しむためにそれをする。それこそ、10代の特権と言ってもいいでしょう。

14

歴史上のヒーローと出合う

僕が『竜馬《りょうま》がゆく』を読んだのは、中学生の頃だったと思います。

『竜馬がゆく』は著者の司馬遼太郎《しばりょうたろう》の代表作とも言えるものですが、文庫にして全8巻の長編歴史小説です。

「そんな長いものは読めないよー」という声が聞こえてきそうですが、初めて読んだときには、一気に、それこそ貪《むさぼ》るように読んでしまいました。

本を読んでいるというより、竜馬が生きている時代に入り込んだと言ったほうが、そのときの感覚に近いかもしれません。

竜馬の同志《どうし》の一人になった気持ちで、竜馬の人生と時代を見届けました。

「日本を変えたい」という思い、次々に降りかかる難問、それを切り抜ける才覚、度胸、戦略……竜馬はいまもって、僕のメンターの一人ですが、その教えは、『竜馬がゆく』という本に出合ったことから始まりました。

10代のときには、ジャンルを問わず、できるだけ多くの本に触れていくのがいいと思いますが、歴史小説を読む楽しみは、その時代にタイムスリップできることです。

いまとは違う時代背景のなかで、でも人は、現代人と同じようなことで悩み、楽しんで生きていたのです。自分とは無関係だと思っていた人たちが、実は自分とつながっていることに気づかせてくれるのが歴史小説です。

「愚者《ぐしゃ》は経験に学び、賢者《けんじゃ》は歴史に学ぶ」と言いますが、歴史には、さまざまな生きるヒントがあります。

僕は竜馬に学びましたが、『徳川家康《とくがわいえやす》』など戦国時代や『三国志《さんごくし》』『戦争と平和』『ローマ人の物語』など外国を舞台にしたものも面白いでしょう。

14

成功者たちは何を考え、どう動いたか

自分が進みたいと思う道を歩んだ先人《せんじん》の自伝や伝記小説を読んでみるのも、今後の人生のヒントになります。

僕が子どもの頃には、「リンカーン」や「ヘレン・ケラー」、「エジソン」「ガンジー」「マリー・キュリー」など、後世に名を残した人たちの伝記物がたくさん出版されていました。

いまなら、鉄鋼王アンドリュー・カーネギーやアニメーションの父ウォルト・ディズニー、『星の王子さま』の著者で飛行士だったサン=テグジュペリといった人たちの伝記や著書を読んでいる人も多いでしょう。

そういう人たちが10代のときに何をしていたのかを知ることも、これからの自分の道を選択するうえで大きなヒントになるのではないでしょうか。

ナポレオン・ヒルは成功哲学の祖《そ》と言われ、その著書『思考は現実化する』は世界的な名著として、いまなお多くの人たちに読み継がれるロングセラーです。この本はもともと、新聞記者だったナポレオン・ヒルが、カーネギーに取材した際に、カーネギーから、「20年間無償《むしょう》で500名以上の成功者の研究をして、成功哲学を体系化《たいけいか》してくれないか」と頼まれて書いたものだそうです。『思考は現実化する』を読んだときは、衝撃的でした。思いはかなう、夢は実現し得ることを、僕はこの本から学んだのです。それが現在の幸せで満足した人生への道の、最初の一歩だったといっても過言《かごん》ではありません。

成功者といえども、必ずしも、簡単に成功したわけではないのです。

どんな人にも失敗があり、挫折《ざせつ》があった。でも、そのとき、彼らは何をしたのか。それを知ることこそが成功の秘訣です。

14 感動したことを忘れない

『ペイ・フォワード―可能の王国』という映画を観たことがありますか。

キャサリン・ライアン・ハイドという人の小説を映画化したもので、２０００年に製作されました。

原題は「PAY IT FORWARD」。直訳すれば、「次に渡せ」です。

主人公の中学1年の少年は、初めての社会科の時間に、「もし自分の手で世界を変えたいと思ったら、何をするか？」という課題を与えられます。

そこで彼は、「Pay it forward」を思いつきます。「Pay it back」――「してもらったらお返しする」のではなく、誰かにしてもらった親切のお返しを誰かほかの人に渡すというのが彼のアイデアでした。

その人が幸せになれるようなことを別の3人にしてあげる。その3人はまた別の3人に渡す。最初の3人が9人になり、27人になり、81人になり、次には243人、729人……と広がっていくと彼は考えました。

そんなことは不可能だと言ってしまうのは簡単です。映画のなかの話？　確かにそうです。でも、実現できたら、素晴らしいと思いませんか？

この映画の最後には思いがけない結末が待っているのですが、それはぜひ、自分で確かめてください。

おすすめしたい映画は、ほかにもたくさんありますが、本と同様に、ジャンルを問わず、観てほしいと思います。古い映画にも、素晴らしい作品がたくさんあります。

『素晴らしき哉《かな》、人生！』は、もう60年以上も昔に製作されたものですが、いまもアメリカではクリスマスの時期になると、いろいろなチャンネルで再放送されているぐらい人気の映画です。

簡単にストーリーをお話しすると、ある若き銀行家が、小切手を紛失《ふんしつ》したことから、彼の銀行は倒産の危機《きき》に陥ります。そして、絶望の淵《ふち》で、自殺という二文字が、彼の頭をよぎります。そのときに、天使が現れて、自分が生まれてこなかった世界を彼は見せられるのです。

この映画を観るたびに、人生とは何かを考えさせられ、生きていることの素晴らしさを再認識させせられます。

「僕は生まれてよかったのか？」ということを考えるうえで、一つの答えをもらったように思います。

10代のうちに絶対にしてもらいたいのは、何にでも感動できる感性を磨くことです。大人になるにつれて感動できなくなっていきます。

人生を楽しむ秘訣は、どれだけ感動できるか、感動するものに出合えるかだと僕は思っています。

本や映画は、感動の宝庫です。10代のうちにできるだけ多くの感動に触れてください。

15

お金と
ビジネスについて
学ぶ

15

お金とビジネス

10代のあなたにとっては、お金といっても、おこづかいやアルバイトぐらいでしか関わりがないかもしれません。また、ビジネスといってもピンとこないでしょう。しかし、あなたが将来、素晴らしい人生を送りたいなら、お金とビジネスは、避けて通れないテーマです。

それは、いまの社会がお金をベースにまわっているからです。

その背後にあるのは、ビジネスの論理です。利益が出るかどうかは、とても重要なファクターで、それによって、いろんなことが決まってきます。

あなたが将来やっていく活動も、利益が出ることなら、続けることができます。しかし、お金の流れが十分に生み出せないとしたら、いくら大好きなことでも、それを続けていくことは難しいでしょう。

自由な人生を生きるためには、お金とビジネスに関して知っておくことが、とても大切です。なぜなら、経済的自由を得るための近道は、利益が出るビジネスを所有するか、投資することだからです。

また、お金の持つ力を知って、お金を上手に使いこなせなければ、自由どころか、お金に振りまわされる人生になってしまいます。

では、「お金はどのようなしくみで動いているのか」ですが、いまの学校教育は、そういうことは扱いません。

また、仕事に関しても、学校で行われているのは、就職の進路相談だけで、起業したいという場合、学校では何の対応もできないのが実情です。

「僕は高校を出たら、新しいビジネスを始めたいんです」と言っても、先生は戸惑《とまど》うだけでしょう。それは、先生には想像もつかない世界だからです。

「そんな危ないことは考えるな」と、先生に自分の人生観に基《もと》づいたアドバイスをされるかもしれません。

15

お金で人生を棒に振る人はたくさんいる

お金で人生を狂わされたり、大失敗する大人は、あなたが思っている以上にたくさんいます。

想像を超えて驚くようなことが起きています。思いあまって銀行強盗をはたらく人もいます。

銀行強盗は極端《きょくたん》だとしても、領収書を改ざんして、たった100円をごまかしたために、数千万円の退職金をふいにする公務員がいます。

また、お金のことでケンカしたり、離婚するカップルはたくさんいます。友人をお金がらみで失うこともあります。あなたも、これまでに家族がお金でケンカする場面はたくさん見てきたことでしょう。

お金がらみの欲得《よくとく》は、すさまじいエネルギーを持ちます。それは、人間の生存本能に関係してくるからですが、お金は人のもっとも醜《みにく》い姿を引き出すことがあります。その結果、あなたはお金は汚いものだと考えるようになるかもしれませんが、そんなことはありません。

お金は、よく見れば、単なる金属と紙でできています。電子マネーは、単なるデジタルな数字です。人間が、単なる「紙」を「神」にしているだけです。

10代のうちから、お金のことをよく観察しておきましょう。

ふつうの日本人は、就職して初めて、お金のことを考えはじめます。それでは、少し遅いかもしれません。その頃までには、お金と人生のつきあい方が固定されてしまうからです。

あなたがいまスタートを切れば、十分間に合います。お金のことを少しずつ学びはじめましょう。

15

報酬はあなたが与えたサービスの質と量で決まる

ここで報酬について考えてみたいと思います。

報酬はどうやって決まるのか。なぜ、報酬の低い人と高い人がいるのか。

僕の著書『ユダヤ人大富豪の教え』(大和書房刊)は、大学生のケンがアメリカに渡り、ユダヤ人大富豪・ゲラーさんに出会って、人生で大切なことやビジネスの基礎を学んでいく物語で、僕の20歳のときの体験を元にしています。

そのなかで、ゲラーさんはケンに次のように教えます。

「報酬は君が提供するサービスの質と量で決まる」

たとえば2軒のクリーニング店があったときに、一方はどこにでもあるふつうのクリーニング店、もう一方は、どんなシミも消してしまう技術を持っている店だとしたら、後者のほうが単価は高くなるでしょう。

ふつうの技術では、当たり前の報酬しかもらえません。その人にしかできない質のサービスを提供できれば、その人の時給は高くなっていきます。

また、たとえふつうの技術しか持っていなくても、提供できる量が多くなれば、報酬も増えていきます。クリーニング店であればフランチャイズ化して、複数のチェーン店オーナーになるという道もあるわけです。

あなたの報酬は、提供するものの質と量で決まります。あなたが大きなスケールで、質の高いサービスを提供すれば、そのぶん成功するのです。

いまのあなたには、特別なサービスといってもピンと来ないかもしれません。自分にできることが、まだよくわからないからです。

それがわかるまでには、まだまだ時間がかかるでしょう。大人たちにだって、わかっている人はあまり多くないのです。

まずは報酬の法則を心に刻《きざ》むことです。

15 お金のために働く人生か、お金に働いてもらう人生か

報酬の法則で、もう一つ大切なポイントがあります。

それは、どんな働き方を選ぶか、です。

ベストセラー『金持ち父さん　貧乏父さん』（筑摩書房刊）の著者で、ご自身も投資家として大成功しているロバート・キヨサキさんが来日したときにインタビューしたことがありますが、彼は、働き方・お金の稼ぎ方を次の4つに分類しています。

（1）従業員

（2）自営業

（3）事業主

（4）投資家

キヨサキ氏は、従業員と自営業を「お金のために働く人」、事業主と投資家を「自分のためにお金を働かせる人」と言っています。

前者よりも後者のほうが報酬が高いのは、説明するまでもないでしょう。

でも、従業員はともかく、自営業者でも報酬が低いほうに入るというのは、どういうことでしょうか。この自営業には、中小企業の経営者も含まれます。

僕の著書でも言っていることですが、自営業は、ある意味でいちばん忙しく、お金に拘束《こうそく》される働き方なのです。

従業員は、自分の時間を切り売りして、お金のために働いています。

自営業は、文字どおり、自分で営む。従業員がいたとしても、たいていの自営業者は、経理から営業、販売まで、何もかも自分一人で担《にな》っている場合がほとんどです。だから、もしも病気で倒れたりするようなことになれば、次の日から生活に困るということにもなりかねません。

15

お金の法則を知り、お金から解放される

多くの人は、お金のストレスをかかえながら生きています。

大人のおおよそ95パーセントが、お金に振りまわされて生きています。「お金が十分にない」「楽しめない」「稼ぐことにストレスを感じている」など、いろんな症状があります。いずれにしても、お金と自由につきあう状態とはほど遠い生き方をしています。

事業主や投資家は、自分がいなくても、お金がまわっていくシステムを確立しています。入院していようが、南の島でバカンスを楽しんでいようが、その人の口座には、お金が入ってくるのです。

僕は、世界中の人たちが「お金」から解放されてほしいという思いから、『ユダヤ人大富豪の教え』『お金と人生の真実』などの著書を書いてきました。自分の報酬の低さを嘆《なげ》くのではなく、お金の法則を知り、お金から解放されることで、本当に望む人生を手に入れてほしいと僕は心から願っています。

将来、どんな働き方を選択するかは、あなた次第です。

あなたは、従業員として生きることもできるし、自営業者として生きることもできる。ビジネスオーナーや投資家として生きることもできる。どんな生き方も選べますが、それぞれよいところ、悪いところがあるのです。

たとえば、従業員は、経済的安定を保証されますが、時間の拘束を受けます。また、仕事も振り当てられ、仕事を選ぶ自由がありません。自営業は、すべて自分でやらなければいけないし、ビジネスオーナーは、ボーッとしていたら、食いっぱぐれます。投資家も、投資した会社が倒産したら、お金を失います。それぞれの長所短所を知ったうえで、自分らしい生き方を見つけてほしいと思います。

16

運命について考える

16

運命と宿命について

大金持ちの家に生まれて、カッコよくて、スポーツ万能、あるいは、美しくて、成績はいつもトップ。そんなクラスメートがいたら、どうでしょうか。羨ましい？　どうして自分はそんなふうに生まれなかったのか？　両親や神様を恨《うら》む？　でも、恨んでもしかたない？

そのとおりです。僕たちは、みんな生まれながらに、違った生き方を強《し》いられています。お金、才能をたくさん持っている人もいますし、また、逆に、貧困、病気などの不運に見舞《みま》われる人もいます。

自分ではどうしようもないような状況が次々おそってくることもあります。生まれついたときにすでにあるもの、それが「宿命《しゅくめい》」というものです。

16 人生は、不平等だが公平にできている

僕たちは宿命から逃れることはできません。

「こんな親とは縁を切りたい」と思っても、それはできないのです。

では、もう人生は、どうにもならないのかといえば、そんなことはありません。宿命を変えることはできなくても、運命は変えることができます。

「運命」とは、命を運ぶと書きます。

運命は、あなたがどう自分の命を運ぶかで、上がったり下がったり、広がったり狭《せば》まったりします。

受け入れにくいかもしれませんが、人生は、もともと不平等にできています。親の性格や資産は違うし、才能、容姿《ようし》に恵まれた人もいれば、そうでない

人もいます。そういう意味ではとても不平等にできています。

しかし、才能に恵まれたり、幼少期にお金に恵まれた人が、ずっと一生を通じて成功するかというと、必ずしもそうでないのが人生の面白いところです。人生の前半戦で恵まれた人は驕《おご》りが出て、ダメになるケースが多いのです。逆に、たいして才能がなくても、努力することで一流になっていく人がいます。

そういう意味では、「人生は平等ではないけど、公平にできている」のです。

自分の運命を変えたいなら、自分が生まれた目的に気づき、人のために動くことです。宿命の制限をはずして、運を自在《じざい》に操れるようになるには、自分の働きで、人を喜ばせられる人になることです。自分の得ばかりを考えている人は、宿命によって規定された人生を超えていくことができません。

誰かのためにしてあげたいことや、自分のエゴを超えて、やりたいことに真剣に打ち込むようになると、自然とまわりの人からサポートされ、制限がはずれます。一時的な不運を嘆く代わりに、あなたに何ができるかを考えてみましょう。あなたの運命は、これからのあなたの動き方にかかっています。

16

自分はなぜ、生まれてきたか

なぜあなたは生まれてきたのでしょう。そして、これから、何のために生きていくのでしょうか。これは一生をかけて考える問いですが、10代の頃にはそういう哲学的、宗教的なことに興味を持つ人もいるかもしれません。

あなたの生まれてきた目的は、あなたがワクワクすることに隠されていると僕は思います。あなたの才能も、ワクワクすることの周辺にあります。それを追いかけていくと、自然と、あなたが本来やるべきことが見えてきます。

あなたが自然にできること、人より上手にできて喜ばれること、それがあなたのライフワークです。

人生の目的は、「自分らしさに気づき、才能を磨き、人に喜ばれることで、充実した人生を送ること」だと僕は考えています。

これからの人生で、あなたは最高の未来を選択することもできるし、最悪の人生をつくることもできます。

「人生の目的」が何であろうと、それを成《な》し遂《と》げられる人は、どんなときでも、自分でできる最高の選択をしつづけています。その結果、理想をはるかに超えるかたちで、充実した毎日を送ります。

人は、ときにそれを「運がいい」と表現するでしょう。でも、その運も本気で自分の人生を生きた結果なのです。

長い人生の途中には、乗り越えられそうもない壁や、渡れそうもない激しい川にぶつかることもあるでしょう。

そんなときにも、決して、あきらめないでください。

「きっと、うまくいく」という感覚を持って、前向きに立ち向かいましょう。

あなたが大変なとき、援助の手をさし出してくれる人は、必ず現れます。人生を信じてみましょう。

16

運をよくするコツ

「あの人は運がいい」「今日は運が悪い」というようなことを言います。目に見えるものではないけれど、たいていの人は、運は存在すると考えているようです。

では運をよくするには、どうすればいいか。いちばん効果的なのは、「自分の天命」に気づくことではないかと僕は思います。

『強運を呼び込む51の法則』（大和書房刊）という本にも書いたことですが、世界中、どんな人でも、人生のテーマがあると僕は考えています。

どんなテーマか。その謎《なぞ》を解《と》く鍵は、あなたの才能に隠されています。

あなたのできることで、人を幸せにすることは何か、あるいは自分自身を幸せにすることは何か。それを見つけることで、運をよくしていけるのです。

自分の才能を知り、それを発揮できている人の人生は、豊かで平安です。なにより本人が輝いていて、生き方によどむところがありません。だから、どんどん運が舞い込みます。

まわりにはよい人たちが集まり、お金がスムースに流れ、何が起きてもいつもニュートラルな自分でいられます。ニュートラルにしているから、また運が舞い込む……そんな好循環《こうじゅんかん》をつくっています。

まずは、自分にできることを見つけて、それを実行していってください。

志を高く持ち、多くの人に応援される人になること。それが運をよくする早道につながります。

あなたが本来やるべきことをやればやるほど、スムースに物事は展開していきます。いわゆる「ツイている」という感覚になるのです。でも、本当に運がいい人は、目の前のことに集中しているので、運がいいかどうかなんて気にしません。そうなってくると、あなたの運も本物になった証拠《しょうこ》です。

16

寿命について考える

「自分が生まれてきた目的は何か」という問いは、一生をかけて答えを出すものだと言いました。

そんなことを言うと、インドの山奥で悟《さと》りを開くようなイメージを持つ人もいるかもしれませんが、インドまで行く必要はありません。

いままで、たくさんの人たちにインタビューしてわかったことですが、60歳、70歳、80歳代の人も、人生の目的は何なのかを、日々考えながら過ごしています。

だから、10代のあなたに、それがまだわからなくてもいいかもしれません。

いまわからなくても、これから、いろいろと経験を重ねるなかで見つけていけばいいのです。

ここで一つ提案したいことがあります。

それは、寿命について考えるということです。

あなたはまだ身近に、死を体験したことがないかもしれません。

でも誰も死を避けて生きていくことはできません。

僕が高校を卒業した翌年に、元クラスメートの一人が急死しました。非常にショックを受けましたが、実際にそういうことは起こるのです。

あなたが知っている人たちも、歳の上から順に亡くなっていきます。

当たり前のことですが、命が永遠に続くことはありません。誰もが老《お》い、死んでいくのです。

いまのあなたには想像できないでしょうが、あなたも、例外ではありません。

寿命というものは確かにある——そう思いませんか。

それを考えて、逆算して、人生をどう生きるのかを考えておきましょう。一回しかない人生を後悔しないで生きてほしいと思います。

17

夢を生きる

17 夢を持っている人は輝いている

「幸せで素敵な大人に出会う」と前に書きましたが、できれば夢を持っている大人と会ってください。

夢を持っている大人は輝いています。

「自分のお店を持つ」という小さな夢から、「世界平和を実現する」「地球環境をよくする」という大きな志と言えるようなものまで、夢はさまざまです。

そして、その夢の大小に関係なく、「これは大切だ」と思うものに向かって人生を歩んでいる人には素晴らしい人たちが多いものです。

そういう人たちのエネルギーを感じましょう。

その人たちの輝きに刺激を受けましょう。

17

「どうせ無理だ」という言葉は捨ててしまおう

いろんな年代の人たちと会っていて興味深いのは、10代の人たちがいちばん悲観《ひかん》的なことです。

僕自身の人生を振り返ってみても、10代の10年間がいちばん不幸でした。前にも言ったように、10代の人は、いわば牢獄のような環境にいます。基本的人権が奪われていて、あなたには1日の時間を自由に過ごす権利もない。居住の自由もない。職業選択の自由もなければ、お金を稼いだり使ったりする自由もほとんどない。それで幸せを感じられるはずがありません。

そんな不自由な世界にいるので、なかなか未来を客観的に見ることができないのは当然です。

でも、だからといって、「どうせ無理だ」とあきらめていいのでしょうか。解放されたら自分たちはどう生きるのかということを、奴隷《どれい》解放宣言前の奴隷のような気持ちで、考えてほしいと思います。

1863年、アメリカの奴隷解放宣言。その次の日、すべての奴隷が自由になったと思いますか。実は、ほとんどの奴隷が前日と同じように、元の主人のところで働いていていました。

なぜ奴隷がその場所から動けなかったかというと、いきなり自由になれと言われても、どこに行って、何をやったらいいのかわからなかったからです。

あなたは近いうちに、奴隷の状態から解放されます。

ほとんどの人たちが18歳で、義務的な教育から解放されるわけです。

けれども、解放されても奴隷としての生活が身についているので、新たにまた、会社と奴隷契約を交わしてしまうのです。

もしあなたが自由に生きたかったら、自分が自由の身になったら何をするのかということを、いまのうちから考えておくといいでしょう。

僕は17歳で、このことに気がついて、18歳になったらやりたいことをノートにずっと書いていました。

そこには、思いつくままに、「海外に1年間住む」とか「寝る時間も起きる時間も好き勝手する」といったことを書いていましたが、自由の身になってから実際にそのとおりやってみました。それは、人生で最高に自由な気分でした。

しかし、その自由な気分もしばらくしたら、急速にしぼみ、不安におそわれました。それまでは、親や学校に縛られていていると感じていましたが、守ってもらっていたことには気づきませんでした。

大人になると、自由なぶんだけ、不安も増えます。あなたが、守ってくれている両親や学校に感謝できるようになったら、大人の世界の入り口に立ったと言えます。自由！　自由！　と言っているうちは、まだ子どもなのです。

自由をどう謳歌《おうか》するのか、いまのうちに考えておきましょう。

17

あなたには無限の可能性がある

あなたには無限の可能性があります。

あなたは世界中どこに住んでもいいし、誰と結婚してもいいし、何をやってもいい。なんでもできます。

目の前には大きくて真っ白なキャンバスが用意されていて、そこに何を描くのかというのはあなたが決めていいのです。

あなたの目の前には、いくつものチャンスの扉があります。

どの扉の向こうにも、可能性の道が続いています。

しかし、その扉はずっと開いていてくれるわけではありません。

正確にいえば、心が自由な人にはずっと開いているわけですが、たいていは

25歳ぐらいから急速に狭まっていくものです。

いまのあなたには無限の可能性がある。確かにそうです。

でも、それは現実を明るい面から見ただけのことです。

というのも、いまならまだ歌手になれるかもしれない。スポーツ選手になれるかもしれない。そういう可能性がないとは言えませんが、では、あなたは一流のミュージシャンになれるでしょうか。

もし、一流のバイオリニストになりたかったら、4〜5歳からトレーニングしていないと難しいのです。あなたがいままで、それをしてこなかったとしたら、一流のバイオリニストになるには、現時点ではもう遅すぎます。

あなたの可能性は、砂時計から砂がこぼれ落ちるように、どんどんどんどん時間がたつにつれて減っています。

それは年を重ねれば重ねるほど加速します。

10代にやっておくといいのは、できるだけ可能性をなくさないように安全に生きることではなく、目の前の可能性を最大のものに開いていくということです。

この本の冒頭で、100人いれば100通りの生き方があると言いました。けれども、一人で100通りすべてを生きられるわけではありません。

今回の人生でこれから何をしたいですか。したいことを選ぶというのは、同時に何を捨てるのかを決断しつづけていくことでもあります。

「スポーツのほうには行かない」「研究のほうには行かない」……そうして、一つひとつの可能性をばっさり捨てられるようにならなければ、人生の成功も幸せもつかむことはできないでしょう。

ただ、焦る必要はありません。

人生には不思議なことが起こります。

一つの扉が閉まっても、また新しい扉が開くということはよくあります。

おわりに

10代のいまだからこそ、持てる夢がある

本書を手に取ってくださって、ありがとうございました。10代のあなたにこの本を手に取ってもらったことを大変うれしく思います。ひょっとしたら、この本は、誰かがプレゼントしてくれたものかもしれません。「絶対に読むように！」と、うるさい両親や親戚のおじさん、おばさんに言われたので、最初はイヤイヤ読みはじめたという人もいたでしょう。

いずれにしても、このページまでたどり着いたということは、時間を取って読み進めてくれたわけですから、あなたには心から感謝したいと思います。

部活、勉強、サークルなどの忙しいスケジュールのなか、時間をやりくりして、本を読んでくださったことは、特に光栄に思います。この本には、僕だけ

でなく、少なくとも数百人の方が関わってくれました。10代のあなたに人生の楽しい生き方を知ってほしいと考える、ちょっとおせっかいで、幸せな大人がいっぱいいることを覚えておいてください。

　僕の10代を振り返ると、楽しいこともありましたが、悔《くや》しいこと、苦しいこと、悲しいこともいっぱいありました。もう一度戻りたいかというと、とてもそうは思えないぐらい大変でした。

　40代前半のいまのほうが、はるかにハッピーになりました。10代の頃は、感情的に混乱《こんらん》していて自分が誰だかわからず、生きていたいのかさえわかりませんでした。いまになってわかることですが、当時の両親、先生たち、友人も、みんな悩みながら生きていたのです。でも、あの頃は、苦しいのは自分だけだと勝手に思い込んでいました。

　あなたも、いまとても息苦しいと感じているかもしれませんが、それはごくふつうのことです。問題なのは、自分以外の身近な友人たちには、たいした問題もなさそうに見えることです。

10代のときは、とかくいろんなことを過大解釈《かだいかいしゃく》しがちです。一つのことに過剰にのめり込んだり、必要以上に自分が嫌われていると感じたりするものです。

また、大人になったら気にもしないようなことで、思いつめたりするものです。僕の10代の頃の悩みに、「眉毛《まゆげ》が薄い」というのがありました。いまから思えば、薄いというほどのものではなかったと思いますが、当時は、なぜかそのことが気になってしかたがなかったのです。

この本を読んでくれている読者のなかには、最高に楽しい10代を過ごしている人もいれば、深刻な悩みをかかえている人もいるでしょう。

僕の父はアルコールの問題があって、家族に暴力をふるうことがありました。健康的な家族なら、お父さんが家にいることはうれしいことでしょう。しかし、我が家では、学校から帰って、父親の靴《くつ》が玄関にあるのを見たら、ど～んと暗い気分になったことを思い出します。

両親のどちらかがアルコール依存や薬物の問題をかかえていたり、うつ状態になっている人もいるでしょう。また、介護《かいご》が必要な祖父母がいたりすると、毎日が戦争のような状態だということもあるでしょう。

10代のうちは、自分の家族がほぼ世界のすべてです。

僕は小学生の頃、父のアルコールの問題のことで、なぜ親戚や役所が助けてくれないのか、不思議でしかたがありませんでした。そして、神様から見放《みはな》されたような気分で生きていたように思います。

自分や家族に薬物依存、過食《かしょく》、拒食《きょしょく》、暴力などの問題がある場合は、専門家の助けが必要なことがあると思います。インターネットで調べて、しかるべき専門家に相談してください。多くの良心的な相談サービスが無料や低料金で行われています。勇気を持って、外部に助けを求めてください。

現在、経済的に大変な家庭に育っている人もいるでしょう。学費や給食費が払えない人もたくさん出てきています。

いまは大変かもしれませんが、一生その状態が続くわけではありません。僕が知り合ったお金持ちのなかにも、経済的に大変な状態の家庭に育っている人がたくさんいます。

家族が大きな問題をかかえているときには、心が黒い雲で覆《おお》われたような感じがしていることでしょう。僕の場合、心がすっきり晴れはじめたのは、ようやく20代の後半になってからでした。あなたの人生も、もう少しすると、きっと楽しくなってきます。

あなたは、決して見放されているわけではありません。ただ、まわりが気づいていないだけです。先日も、ごく小さい兄弟が餓死《がし》して見つかったという事件が報道されていましたが、まわりの大人が見逃してしまうことも多いのが実情です。

この本が読める10代のあなたなら、学校の先生、カウンセラーなどに相談することができるはずです。いま振りかかっている人生の問題を、変えることができないほど大きな問題と捉えるのか、一過性《いっかせい》のものだと思えるかです。

すべての問題は、一時的な状態だと考えてください。

10代のうちは、そう感じにくいと思います。でも時間はいちばんの特効薬です。時間がたてば、また、そう意図すれば、問題の多くは解決していきます。

目の前の問題に負けないでください。自分のかかえている問題を、必要以上に大きく感じてしまっている可能性もあります。

すべての問題は、あなたの人間の器を大きくしてくれるために存在します。

僕の場合も、父がアルコールの問題をかかえていたおかげで、苦境《くきょう》にいる人の痛みがよくわかるようになりました。

また、酔っ払った父に、本物の日本刀で追いかけまわされたこともあったので、ちょっとやそっとのことでは慌《あわ》てない度胸がつきました。殺されるかもしれないという修羅場《しゅらば》を通った人間は強いものです。

当時は自分の不運を呪《のろ》いましたが、いまでは、冷静に受けとめることができます。亡くなる前には、そんな父とも和解ができ、お互いの愛情と友情を確認することができました。そして、あの父がいなければ、僕は、いまのように楽しい毎日を送ることができなかったと思えるようになりました。

いま最高に楽しい10代を送っている人もいるかもしれません。そういう人は、とことん青春を楽しんでください。恵まれた環境に感謝して、面白いと思うことを追いかけてみましょう。きっと、将来その体験は役に立ちます。

僕は、10代の頃、「みんなどうしてニコニコ笑って暮らせないんだろう?」と不思議に思っていました。この世界を楽しい場所にできたらいいなと漠然と考えていました。30年たったいま、それを実現しつつある自分がいます。夢は本当に実現するんだとあらためて感動しています。

あなたも夢を見てください。最高の夢を。

そして、それを実現させてください。

あなたの夢は必ずかないます――あなたさえあきらめなければ。

2010年12月

和歌山県　ゆの里にて

本田　健

10代に読んでおきたい本

本文の第14章「一生を左右する本や映画と出合う」にもいくつか挙げましたが、10代のいまだからこそ読んでほしい、本田健のおススメ本をご紹介します。たくさん挙げたいところですが、残りはホームページで紹介しています。

http://www.aiueoffice.com/

□**『かもめのジョナサン』リチャード・バック**

「みんな」と同じになれないことは悪いことなのか。ただ生きるのではなく、信念を持って生きることの大切さを教えてくれた一冊です。

□**『星の王子さま』サン＝テグジュペリ**

「大切なものは、目に見えない」（内藤濯《ないとうあろう》訳）という、この一文に出合うためだけに読むのもありだと思います。

□**『坂の上の雲』司馬遼太郎**

日本騎兵《きへい》の父と言われた秋山好古《あきやまよしふる》と、その弟真之《さねゆき》、そして真之と同級生だった俳人・正岡子規《まさおかしき》を主人公とする長編歴史小説。明治という日本の文明開化の時代を生きた各々《おのおの》の生き方に、じっとしていられないような衝動《しょうどう》を覚えます。現代日本の原点がここにあります。

□**『「原因」と「結果」の法則』ジェームズ・アレン**

本には自己《じこ》啓発《けいはつ》というジャンルがありますが、そのルーツと言われるのが、この『「原因」と「結果」の法則』。文字どおり、啓発される言葉ばかりですが、そのどれに自分が反応するのかを見るのも、自分発見のヒントになります。

□**『窓ぎわのトットちゃん』黒柳徹子《くろやなぎてつこ》**

黒柳徹子さんの子どものころを描いた物語。「自分もトットちゃんだった」ことを、あなたも思い出すかもしれません。

□**『マザー・テレサ　愛のことば』いもとようこ＝絵**

恵まれない人たちのために、その人生をささげたマザー・テレサの言葉は、どれもシンプルで、やさしくて、それでいて強い。これから何度も読み返すことがあったとしても、10代のうちに触れておいてほしい言葉です。

□**『アルケミスト』パウロ・コエーリョ**

羊飼いの少年サンチャゴが、アルケミスト――錬金術師《れんきんじゅつし》の導《みちび》きによって、宝物を探しにいく物語。この物語こそ、人生で学ばなければならない知恵の宝庫です。

□**『橋のない川』住井《すみい》すゑ**

いわれなき差別のなかで生きる人々を描《えが》いた作品。差別について、いじめについて考えさせられる一冊です。

□**『銀河鉄道の夜』宮沢賢治《みやざわけんじ》**

自分の居場所がない少年ジョバンニは、親友カムパネルラと銀河鉄道に乗り込んで旅を楽しむが、二人が迎える結末は……。親友を持つことの素晴らしさを教えてくれた本です。

□**『シャーロック・ホームズの冒険』コナン・ドイル**

名探偵《めいたんてい》シャーロック・ホームズが事件を解明《かいめい》するまでを、助手のワトソンの目線で綴《つづ》られていく、ミステリー小説の名作中の名作です。このシリーズによって、本を読む楽しさを知る人も多いでしょう。

□**『西の魔女が死んだ』梨木香歩《なしきかほ》**

主人公・まいのおばあちゃんは、イギリス人の、自称《じしょう》・魔女。そのおばあちゃんから魔女の手ほどきを受けますが、まず初めに教わったことは「自分で決めること」だった……。

□**『きけ わだつみのこえ』日本戦没学生記念会編**

第二次世界大戦の末期、10代、20代の学徒兵《がくとへい》たちが、国や愛する人たちの未来を憂《うれ》いながら死んでいきました。彼らの手記を読むと、私たちの豊かな生活は、彼らの犠牲《ぎせい》の上に成り立っていると感じます。人生を大切に生きよう！ と心から思える一冊です。

アンケート結果

現在20代以上の方たちから、いま10代のみなさんに伝えたい、「10代に読んでおきたい本」「私の10代にしておきたかったこと」が全国から寄せられました。あわせてみなさんにお伝えします。

10代に読んでおきたい本

❶『ユダヤ人大富豪の教え』本田健〔52票〕
❷『金持ち父さん　貧乏父さん』ロバート・キヨサキ〔14票〕
『人を動かす』デール・カーネギー〔14票〕
❹『思考は現実化する』ナポレオン・ヒル〔12票〕
❺『アルケミスト』パウロ・コエーリョ〔11票〕
『道は開ける』デール・カーネギー〔11票〕
❼『竜馬がゆく』司馬遼太郎〔9票〕
❽『ソース』マイク・マクマナス〔8票〕
❾『きっと、よくなる！』本田健〔7票〕
『情熱思考』是久昌信《これひさまさのぶ》〔7票〕
『ザ・シークレット』ロンダ・バーン〔7票〕

10代にしておきたかったこと

❶恋愛をする（告白・失恋・片思い・両思いなども含む）〔57票〕

❷海外へ行く（旅行・留学含む）［52票］
❸友達をつくり、深く交流する（夢を語る、ケンカなども含む）［50票］
❹本を読む［44票］
❺好きなことを見つけ、熱中する［43票］
❻いろいろなことにチャレンジする［31票］
❼アルバイトをする［27票］
❽いろんな人と接する［21票］
❾一人旅をする（国内外問わず）［18票］
❿英語を学ぶ［16票］
⓫お金について勉強する［15票］
⓬ボランティアをする［14票］
親に感謝する［14票］
⓮部活などスポーツに打ち込む［13票］
⓯とにかく遊ぶ［11票］
独力でお金を稼ぐ［11票］
祖父母と話をする［11票］

いま10代のあなたに、少し前に10代だった先輩たちがメッセージを送ってくれました。

藤井孝夫／ミッシェル／シーザー（吉野滋久）／オスギ／紫乃花／ベル／八納啓造／ぶっちぃ／わかな／グレース／フジ／rie／たけごん／よっちゃん／写真屋けんちゃん／上田正敏／ちえちゃん／奥田あや／滝崎順子／小栗一則（グリ）／ワティ／ペーた／渡邊舞弓子／山口憲和／松本茂樹／田中美和／羽根田ゆかり／田口恵子／山内富子／銀龍／飯坂礼子（れいこ）／和田佳寿子／入江康太郎／芹澤賢司／ミシェル／ひこ／上原大輔／冨安ひとみ／斎賀洋平／佐井俊真／佐伯円香／齋藤津多子／永澤栄一／アリー／山本智也（@トム）／ドクターオグ／柳生大輔／きらかよ／鶴渕真一／りょうちん／もんちゃん／小坂あゆみ／三中信一／飯沼一洋／バーニー／小山朗／キャプテン吉田／Colorful／ともちゃん／新田昌広／山田修史／ユズル／冨安ひとみ／ママリッチ／きっかけデザイナー梅津ミスズ／及川政則／橋本陽翠／大島貞／真並ゆら／松木裕枝／若月保紀／空飛びサスケ／秋元伸夫／トオル／千香子SARAH／川浪裕史／八木澤名香子／森山英昭／竹内稔／自由書画家じゅんや／谷口貴康（たか）／松本雄介／佐倉英行／吉田拓哉／実好敏正／黒川亮／岩田紗代子／常泉精吾／鈴木信幸／加藤じゅごん☆／吉田順一／大平信孝／吉村直之／足立明穂／ころん／マイキー／小泉まゆっち／吉村淳子／yoshi_19740120／きいまま／高坂美幸／ともとん♪／井上育子／吉岡岳彦／シュウジマン／杉原誠人／井上寛規／笠矢理恵／真田美優／森本雄太／梅崎靖志／河田真之／扇心@末広開運堂／國谷幸太郎／あべそういち／葉乃山花凜／増岡泰秀／篠田雄一／ほりえくみこ／ビヨンド・田口真由美／文丘雄清／Hayaちゃん／重光規子／中村侯勝／徳満大和／成宮由季子／しげ／瀧口勝之／藤井俊行／鈴木祥功／ZIMMY358／石田皓太／兼田龍洋／ゆふ／おちゃぽん／山崎智希／砧絢子／れーたん^^之助／赤松範胤／青木栄子／具嶋香月／花咲兄・健／えりこ／天田理絵／野上由規子／中谷良子／岡田ユミ／河西高明／須藤千佳／溝渕理泰／木下道代／赤田恵里奈（ERIBOB）／今藤隆博／林治雄／北田佳悟／石川裕基／北澤晃／ユウユ☆☆／まころん／藤枝亜由／TAKA／ハルオ／尾形譲／五代真紀子／對馬千昌／林琳／いぬのぽぽ／さち／岩本勝信／孫逸舒／松澤潔／はる／大森美由紀／塩見拓哉／ゆーり／pink girl／木田周作／ドースー／lost soul boyhood／柳利幸／Kazu／tama／Piony／anemone／まりりん／ゆきんこ／庄籠博子／八塚昌幸／エスペランサ／emi／けい／百合／中村朱美／岩山ひろみ／賀奈子／赤荻雅子／新谷彰男／松村隆平／龍／おくむらやすお／槇秀樹／shinchan／太田秀樹／目黒信孝／ROCK-MAN／シェリー／菊入亜紀子@あくび／梶川雅達／陽子／浅石さやか／田中康一／マスジマトモコ／杉浦忠／森村勇紀／的矢ねむ／宮城康代／大西義幸／池田一樹／石川知孝／吉田友香／まさまさ／荒木文孝／山本茉実／h.kusanagi／とっちゃん／日高美和／べっき～／御前佑介／BoyCho／ネコマロ／友部雄／栗ワッショイ／久保田めぐみ／高瀬浩幸／すなはら／金谷浩一郎／市村淳／藤田晋也／AKI／下居孝之／yuji／上地安親／ぬきなみか／きょうこ／橋本紀代美／Dream Atsushi／金子太祐／渡辺里彩／木津正之／石田皓太／井上晴彦／上田一裕／chie♪／吉村美里／田中康博／ミスター・ツカム／田口慎一郎／Patrick／中村かおり／博多敏希／hiro／天使のヒルネ／後藤美幸／田野学／藤井健輔／井田宏一／上田悦子／江嶋満／長谷川知宏／水野憲一／鮫島秀己／宮沢喜一／斉藤留美子／Kiyやん／平尾耕一（こうきち）／おうさまじゅん／Nao／向平美樹子／堂佛聡子／ハッピーリッチマン／柳田裕一郎／弘田タカユキ／ふくはる／綾部優子／まぁる／武田和義／瀧澤勉／Mayumi／川上美晴／辻かおり／あさつゆ／和田由里子（リリアン）／瀧川雅也〈順不同〉

メッセージをくださったみなさま、ご協力ありがとうございました。

本田 健（ほんだ・けん）
神戸生まれ。経営コンサルティング会社、ベンチャーキャピタル会社など、複数の会社を経営する「お金の専門家」。独自の経営アドバイスで、いままでに多くのベンチャービジネスの成功者を育ててきた。育児セミリタイア中に書いた小冊子「幸せな小金持ちへの8つのステップ」は、世界中130万人を超える人々に読まれている。『ユダヤ人大富豪の教え』をはじめとする著書はすべてベストセラーで、その部数は累計で380万部を突破し、世界中の言語に翻訳されつつある。
本田健公式サイト
http://www.aiueoffice.com/

だいわ文庫

10代《だい》にしておきたい17のこと

著者　本田《ほんだ》 健《けん》

二〇一〇年一二月一五日第一刷発行
二〇一一年五月五日第三刷発行

発行者　佐藤 靖
発行所　大和《だいわ》書房
東京都文京区関口一-三三-四 〒一一二-〇〇一四
電話 〇三-三二〇三-四五一一
振替 〇〇一六〇-九-六四二二七

装幀者　鈴木成一デザイン室
本文デザイン　椿屋事務所
編集協力　ウーマンウエーブ
本文印刷　シナノ
カバー印刷　山一印刷
製本　ナショナル製本

ISBN978-4-479-30314-5
乱丁本・落丁本はお取り替えいたします。
http://www.daiwashobo.co.jp